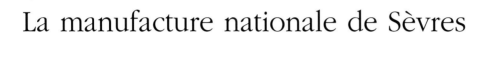

La manufacture nationale de Sèvres

Nous tenons à remercier

Monsieur Georges Touzenis
Directeur de la manufacture nationale de Sèvres

Madame Barbara Tassin de Montaigu
Chargée de mission à la manufacture nationale de Sèvres
pour sa précieuse collaboration

Monsieur Antoine d'Albis
Directeur du Laboratoire de la manufacture nationale de Sèvres

et l'ensemble du personnel de la manufacture

Ce livre est publié avec le concours du ministère de la Culture,
Délégation aux Arts Plastiques, FIACRE

La manufacture nationale de Sèvres

Parcours du blanc à l'or

Nicole Blondel
Conservateur Général du Patrimoine

Tamara Préaud
Conservateur en Chef du Patrimoine

François Doury
Photographe

FLOHIC
– EDITIONS –

PRÉFACE

Entre légende et réalité, la porcelaine a, depuis ses lointaines origines asiatiques, fasciné le public des curieux et passionné les esthètes. Matière capricieuse et complexe, elle demande une grande technicité et un immense savoir-faire.

Depuis plus de deux siècles et demi, la manufacture de Sèvres est le paradigme même de cette histoire à la fois technique et esthétique. Souvent copiée mais jamais égalée, sa production reflète aussi bien les goûts et l'art des temps divers qu'elle a accompagnés. Créée par les rois, protégée par les empereurs, la manufacture reste la seule au monde à être depuis ses origines aux mains du même propriétaire, l'État.

Ce premier volume d'une série ambitieuse, qui présentera les richesses d'un établissement mythique, mais en même temps peu connu du grand public, a pour objectif de montrer, à la fois l'histoire de la manufacture, les processus de fabrication et de décoration, la variété exceptionnelle de ses archives, ainsi que les techniques employées autrefois et aujourd'hui.

J'espère qu'à travers ces pages, un large public découvrira un trésor toujours vivant et un peu secret, et appréciera la passion et la méthode de tous ceux qui contribuent à sa pérennité.

Georges Touzenis
Directeur de la manufacture nationale de Sèvres

HISTOIRE DE LA MANUFACTURE

Tamara Préaud

Les premières années
L'élaboration d'un style nouveau
1759-1780
De 1780 à la Révolution
La période révolutionnaire
La direction d'Alexandre Brongniart
La Deuxième République
Le Second Empire
1870-1890
L'Art nouveau
L'entre-deux-guerres
1945-1976

La porcelaine se distingue des autres corps céramiques par des caractéristiques particulières : elle est blanche, sonore, translucide et, surtout, parfaitement imperméable. Apparue en Chine vers le VIIIe siècle de notre ère, elle fut rapidement introduite par des voyageurs et marchands au Moyen-Orient et en Europe où les premières pièces suscitèrent l'admiration et furent considérées comme des trésors dignes de recevoir de somptueuses montures d'orfèvrerie. Dès le XVIe siècle, l'établissement de rapports commerciaux avec le « Céleste Empire » par les Portugais, vite supplantés par les Hollandais, amena l'importation massive d'objets produits spécialement. Parallèlement, les différents pays européens cherchèrent à imiter cette matière remarquable.

Les Italiens furent les premiers, vers la fin du XVIe siècle, à mettre au point, dans un laboratoire installé à Florence et protégé par les ducs de Médicis, un produit de remplacement présentant les mêmes qualités, faute d'avoir identifié et découvert les matières premières utilisées en Chine. Ce matériau reçut plus tard le nom de pâte tendre parce que l'acier pouvait facilement rayer sa couverte. Il s'agit d'un mélange d'élaboration compliquée constitué d'une sorte de verre blanc cuit, puis pilé (la fritte) mélangé à diverses argiles blanches et malléables. En France, la porcelaine tendre fut produite d'abord en quantité très restreinte à Rouen par Louis Poterat vers 1675 ; les Chicaneau-Trou furent les premiers à en fabriquer régulièrement à Saint-Cloud et à Paris à partir des toutes dernières années du XVIIe siècle ; les recherches semblent d'ailleurs avoir été très actives à Paris durant le premier quart du XVIIIe siècle et un nouvel établissement de quelque importance fut ouvert vers 1730 à Chantilly sur les terres du duc de Bourbon, prince de Condé.

L'Europe entière se passionnait alors pour la porcelaine et c'est dans une atmosphère de rivalité économique, d'espionnage industriel, de débauchage des « arcanistes », exacerbés par la surenchère entre les importations considérables des Compagnies des Indes et les pièces venues de Saxe, où la première fabrique de véritable porcelaine (dite dure, par opposition à la pâte tendre) avait été fondée en 1710 à Meissen, que se situe la naissance de la manufacture de Vincennes-Sèvres.

À ce moment, en France, les pièces produites présentaient toutes le même défaut d'une pâte d'une blancheur imparfaite ; au point qu'à Chantilly on ajoutait de l'étain dans l'émail pour le rendre plus blanc, comme on le faisait pour les faïences.

LES PREMIÈRES ANNÉES

LA FONDATION

Précisément à Chantilly, un ancien charpentier nommé Claude-Humbert Gérin découvrit qu'en ajoutant de l'alun calciné dans la fritte, il obtenait une porcelaine parfaite. Cette découverte eut probablement lieu juste avant la mort du duc de Bourbon (janvier 1740), protecteur de l'entreprise installée sur ses terres, donc au plus mauvais moment pour essayer une mise en pratique forcément onéreuse. Gérin, avec l'accord du directeur de la fabrique, persuada quelques ouvriers de quitter Chantilly pour venir avec lui essayer de tirer parti de son invention.

Ils réussirent à intéresser le contrôleur général des Finances, Philibert Orry qui, soucieux de limiter les sorties de devises entraînées par les achats à l'étranger, leur permit à l'automne 1740 d'utiliser deux tours désaffectées du château royal de Vincennes, leur avança dix mille livres prises sur le Trésor royal, puis envoya au printemps 1741 son demi-frère, Jean-Henri-Louis de Fulvy, intendant des Finances et commissaire du roi auprès de la Compagnie des Indes – donc habitué à la porcelaine orientale – juger de leurs progrès. Ceux-ci parurent suffisants pour décider Fulvy à financer le petit atelier, ce qui permit d'augmenter sensiblement le nombre des ouvriers et de progresser dans les innombrables mises au point nécessaires. En juillet 1745, un privilège royal fut accordé à l'entreprise, seule autorisée désormais en France à fabriquer de la « porcelaine façon de Saxe... peinte et dorée à figures humaines ». C'était anticiper puisqu'à cette date, seules pâtes et couvertes donnaient satisfaction ; mais indiquer clairement des ambitions novatrices : il ne s'agissait plus de peindre avec quelques rares couleurs transparentes posées en à-plat, mais d'imiter Meissen en établissant une riche palette de couleurs opaques pouvant être nuancées et mélangées, permettant de peindre de véritables tableaux en miniature.

LA SOCIÉTÉ CHARLES ADAM

L e privilège fut accordé au nom de Charles Adam (valet de chambre et prête-nom de Fulvy) qui constitua aussitôt une société d'actionnaires pour financer une entreprise que tous espéraient profitable. Des progrès décisifs prirent place au cours des années suivantes : mise au point progressive de la palette à partir de 1747 ; amélioration du four de cuisson des pâtes et couvertes (1746) ; construction d'un four tunnel pour la cuisson des couleurs et achat des secrets de la pâte et de la couverte, de la préparation et de la pose de l'or (1748). Le nombre des ouvriers ne cessa d'augmenter et on put enfin

Tasse Bouillard, 1748. H. 6 cm. Sèvres, MNC (inv. 24574).
Cet inventaire, signé « Fait ce 28 Août 1748 à Vincennes. Taunay fils », a permis à Pierre-Antoine-Henry Taunay de montrer à la fois la richesse de la palette des couleurs qu'il était capable de préparer, la subtilité des nuances que chacune permettait et ses propres talents de peintre. La manufacture se décida finalement, en 1754, à lui acheter le secret des trois couleurs – carmin, pourpre et violet – qu'il était seul à connaître, alors qu'à cette date il avait cessé de peindre sur porcelaine. Depuis les premiers essais de couleurs, on voit que les progrès avaient été rapides. En revanche, la manufacture ne savait pas encore poser l'or en août 1748 et recourait aux « bords bruns » très prisés des amateurs sur les porcelaines orientales.

faire état d'une véritable production : outre les petites boîtes, étuis, pommes de cannes et autres menus objets courants dans toutes les fabriques, on note l'apparition de quelques pièces de service simples : pots à sucre, jattes, tasses et soucoupes, de petits vases et des statuettes laissées en blanc ou colorées. Ces objets étaient décorés de paysages animés, de fleurs ou d'oiseaux raides et isolés, inspirés surtout de gravures anciennes et traités dans des couleurs sombres et denses ; les décors pouvaient être posés directement sur le fond, souvent de façon maladroite par rapport aux galbes, ou inscrits dans des cadres anguleux.

La production la plus abondante, celle qui connut le plus grand succès et qui explique la progression constante des ventes, fut celle des fleurs modelées ; non plus une maladroite flore imaginaire, mais de véritables portraits botaniques d'espèces identifiables que les marchands-merciers montèrent sur toutes sortes de pièces d'ornement (lanternes, pendules, écritoires) ou réunirent en bouquets, leur ajoutant tiges et feuilles de laiton verni. L'exemple le plus spectaculaire est le somptueux bouquet présenté à la dauphine Marie-Josèphe de Saxe en 1749 et envoyé par elle à son père ; il faisait suite à des ensembles similaires offerts en 1747-1748 à la reine, au roi et à Mme de Pompadour et réunissait un bouquet dans un grand vase orné de fleurs appliquées et deux groupes de côté sur une riche base en bronze doré. On avait fait appel, pour cette terrasse, à l'orfèvre Jean-Claude Chambellan, dit Duplessis, qui fut dès lors chargé de dessiner toutes les formes, amorçant un passage de l'imitation des modèles saxons et orientaux à un style plus souple et original.

Ces avancées remarquables coûtèrent cependant fort cher ; même si les actionnaires avaient éprouvé le soulagement que le roi accepte à plusieurs reprises de participer aux appels de fonds incessants, il n'en demeurait pas moins que l'entreprise représentait pour chacun un investissement considérable et incertain.

Deux *Bouquets de côté*, s. d. l. 21,7 et 21 cm. Sèvres, MNC (inv. 1895).
Les fleurs modelées peintes au naturel pouvaient être montées sur des tiges en laiton verni enrichies de feuilles naturalistes permettant de les grouper dans des vases ; être intégrées à des ensembles décoratifs de toutes sortes (lanternes, écritoires, pendules, etc.) ; ou, comme ici, montées sur des tiges souples entourées de soie et former des bouquets destinés à enrichir le décor des tables d'apparat.

L'ÉLABORATION
D'UN STYLE NOUVEAU

LA SOCIÉTÉ ÉLOY BRICHARD

L'arrivée en janvier 1751 du peintre Jean-Jacques Bachelier à la tête de la décoration et la mort de Fulvy en mai de la même année précipitèrent une évolution du style, probablement encouragée par la marquise de Pompadour ; c'est sans doute grâce à elle que fut évitée une tentative de prise de pouvoir interne par de nouveaux actionnaires, au moyen d'une mainmise royale : nomination d'un commissaire du roi, Jacques-Dominique Barberie de Courteille et, surtout, du savant Jean Hellot, chargé de noter, d'améliorer et de réserver au souverain tous les secrets et procédés. Cette crise aboutit à la dissolution en 1752-1753 de la société Charles Adam dont Louis XV remboursa les membres, devenant ainsi propriétaire de l'établissement. Craignant l'impopularité des dépenses où l'entraînait Mme de Pompadour, le roi préféra cependant ne pas rendre publique cette acquisition ; il confia donc la gestion des actifs à une deuxième société constituée au nom d'Éloy Brichard et marqua sa protection en renouvelant le privilège et en souscrivant un quart du capital.

Plat d'entremets du Roy, 1754. D. 31,8 cm. Paris, musée des Arts décoratifs (inv. GR 219).

Le premier grand service de table produit à Vincennes fut livré à Louis XV entre 1753 et 1755. On avait adopté pour fond le bleu turquoise mis au point par Jean Hellot en 1753, couramment nommé « bleu céleste » parce que cette couleur se trouvait souvent sur des pièces venues de Chine (le Céleste Empire). Les très nombreuses pièces de forme dessinées par Duplessis père s'accompagnaient d'un surtout en biscuit formé de figurines et groupes à disposer dans un paysage fictif agrémenté d'un pont, de terrasses et de balustres également en biscuit, qui permettaient des dispositions toujours différentes.

Les années 1749-1753 virent un immense effort de création : les pièces de service apparurent en si grand nombre que l'on dut décider en 1751 de donner à chacune un nom précis afin d'éviter les confusions ; Duplessis dessina ainsi de nombreuses variantes pour chacune des formes, tout en multipliant celles-ci jusqu'à pouvoir constituer des services de table complets. Les décors évoluèrent de façon spectaculaire : Hellot mit au point des fonds colorés, bleu lapis et jaune (1751), violet (1753), vert (1753-1756), bleu céleste (1753) ; Bachelier fit utiliser des modèles gravés contemporains ; les couleurs furent améliorées par Jean Hellot ; tout ceci aboutit à des pièces d'un aspect entièrement nouveau avec leurs réserves aux courbes douces à riches entourages de feuillages et d'ornements en or renfermant des décors en couleurs claires et pures. Le service à fond bleu céleste et décor de fleurs et fruits livré en 1753-1755 à Louis XV est typique de ce nouveau style d'un baroque élégant et mesuré.

L'INVENTION DU BISCUIT

D ans le domaine de la sculpture, un pas décisif fut également franchi au cours de ces années avec la décision de laisser les œuvres en biscuit, c'est-à-dire sans couverte brillante. Les premières figurines avaient été au moins partiellement modelées et de qualités fort inégales ; il s'agissait d'œuvres isolées destinées à être intégrées dans des ensembles décoratifs ou à orner meubles et cheminées. On voit citer dès 1748 des « enfants Boucher » et, même s'il s'agit au départ de gravures, nous savons que le peintre fut directement sollicité dès 1749. On imagine qu'il ne fut pas étranger à la décision de faire appel à de bons praticiens pour la mise au point des modèles et d'employer des moules permettant des éditions régulières qui présentaient l'avantage de pouvoir remplacer avantageusement les figurines en sucre utilisées jusqu'alors pour le décor des tables. Le désir d'imiter ces ornements éphémères, la volonté de ne pas noyer sous l'émail le délicat travail de reparage dû à d'habiles sculpteurs et le souci d'éviter les risques d'un nouveau passage au feu qu'exigeait la mise en couverte durent concourir à l'adoption du biscuit qui connut un succès immédiat et durable.

Les Mangeurs de raisins, 1752 (modèle). H. 22,5 cm. Sèvres, MNC (inv. 77551).

Les premières mentions d'« *Enfants Boucher* » à Vincennes datent de 1748. Nous ignorons si l'artiste a donné pour le présent modèle un dessin spécifique ou si le modeleur a travaillé d'après une gravure reproduisant son tableau de 1749 *Pensent-ils au raisin ?*, inspiré d'une comédie de Simon Favart intitulée *La Vallée de Montmorency*. La création de ce groupe doit se situer très près du moment où la manufacture décida de laisser les sculptures en biscuit, c'est-à-dire sans la couche d'émail transparent qui leur donnait leur brillant, puisqu'il en existe des versions émaillées et d'autres, comme celle-ci, en biscuit. Bien que l'invention du biscuit s'accompagne de l'adoption des moules de travail en plâtre permettant des éditions régulières, de nombreux détails continuèrent d'être travaillés librement, variant d'un exemplaire à l'autre.

L'INSTALLATION À SÈVRES

Dès octobre 1752, grâce à cette intense activité, la manufacture put ouvrir un magasin dont le chiffre de vente ne cessa d'augmenter. Bien entendu, ses produits de luxe ne s'adressaient qu'à une clientèle fortunée : membres de la famille royale, nobles courtisans, grands financiers, riches amateurs étrangers. À la fois pour se rapprocher de la cour et parce que les locaux disponibles à Vincennes devenaient trop exigus et malcommodes, « Messieurs les intéressés » décidèrent dès l'automne 1751 de se déplacer ; ils achetèrent en 1752 un terrain à Sèvres, idéalement situé entre Paris et Versailles et tout près du château de Bellevue qui appartenait à Mᵐᵉ de Pompadour, et firent construire un vaste bâtiment où l'on aménagea un appartement destiné au roi. Le transfert eut lieu en août 1756, et l'on imagine le bouleversement que dut amener l'arrivée dans la petite bourgade des deux cents ouvriers chargés de familles. Ces travaux ambitieux pesèrent lourdement sur l'endettement de la compagnie et les actionnaires furent contraints de recourir aux emprunts et aux expédients financiers, multipliant les appels au secours jusqu'à ce que finalement Louis XV accepte, en octobre 1759, de les rembourser et de faire exploiter la manufacture à ses frais, sous le contrôle des hommes déjà en place et choisis par lui : le ministre d'État Léonard-Jean-Henri Bertin, le commissaire Courteille, le directeur Jacques-René Boileau et le chimiste Jean Hellot, auquel fut adjoint son collègue Pierre-Joseph Macquer. C'est que, depuis 1752, la manufacture n'avait cessé de progresser : profitant de la guerre de Sept Ans, elle avait définitivement éclipsé sa rivale saxonne et donnait désormais le ton à toute la porcelaine européenne. Son renom était tel que, dès 1756-1758, le roi de France avait pu offrir des services en porcelaine au roi Frédéric V de Danemark et à l'impératrice Marie-Thérèse d'Autriche, inaugurant ainsi une longue tradition de présents diplomatiques.

Au cours de la gestion de la société Éloy Brichard, la manufacture n'avait cessé d'enrichir sa production ; pour les services de table et de déjeuner, elle avait encore mis au point pièces nouvelles ou variantes. Les décors moulés en relief sous l'émail et inspirés de modèles saxons ou orientaux avaient cédé la place à des surfaces lisses plus aptes à recevoir fonds de couleur et décors, en dépit du fait que presque chacune des formes de base possédait une réplique ornée du relief dit « feuille de chou ». Les pièces de décoration et d'agrément, qui restaient souvent utilitaires, avaient fait leur apparition : arrosoirs, paniers, lanternes, fontaines, objets de toilette. Surtout, les vases s'étaient multipliés : caisses pour fleurs fraîches ou de porcelaine, pots-pourris ajourés, vases à réserve d'eau ou purement décoratifs. Leur style resta dans l'ensemble d'un baroque raisonnable, mises à part des extravagances comme les formes du *Vaisseau à mât* ou du *Vase à têtes d'éléphants*, contrastant avec quelques détails novateurs telles les antiquisantes postes ajourées des plateaux carrés et rectangulaires (1758). Les fleurs modelées étaient brutalement passées de mode, le marché ayant été saturé par les imitations dues aux entreprises rivales, au mépris du privilège. Par contre, la sculpture en biscuit avait connu un développement considérable et le service livré à Louis XV comportait en 1755 un premier surtout : à toutes les statuettes en production étaient venus s'ajouter un pont, des terrasses et un millier de balustres. Boucher continuait d'être la principale source d'inspiration de groupes ou figures d'enfants ou d'adolescents inspirés du théâtre ou de la vie champêtre. Maurice-Étienne Falconet, nommé artiste en chef chargé de la sculpture en 1757, continua tout d'abord dans la même veine.

Vase Vaisseau à mât, vers 1760. H. 37 cm. Paris, musée du Louvre (inv. OA 10965).

On connaît une dizaine d'exemplaires diversement décorés de cette forme baroque créée en 1757. Les ajours ménagés dans la partie supérieure montrent que le vase était utilisé comme pot-pourri, pour diffuser des parfums. Caractérisé par la juxtaposition des trois couleurs de fond rose, vert et bleu, le présent vase fit partie d'une garniture acquise par la marquise de Pompadour. Par son décor, il se rattache à une série de pièces peintes de chinoiseries par Charles-Nicolas Dodin entre 1760 et 1765 en utilisant des couleurs épaisses et transparentes imitant les émaux chinois des familles verte et rose. Meubles et balustrade de ce décor pourraient avoir leur source dans d'authentiques objets chinois, alors que la disposition des personnages s'inspire d'une gravure de Boucher intitulée *Le Thé*.

1759-1780

LES TURBULENCES ADMINISTRATIVES

L a manufacture vécut alors une période de stabilité extrêmement faste jusqu'à la mort de Courteille en novembre 1767. Bien que le souverain eût réclamé de sévères économies, les dépenses de personnel et de matériel ne cessèrent d'augmenter, parallèlement à la production. Il est difficile de juger aujourd'hui, en raison des modes de comptabilité anciens, si les bénéfices croissants annoncés alors sont réels ; ils ne tiennent compte, en tout cas, ni des quatre-vingt-seize mille livres versées chaque années par le Trésor royal, ni du fait que tous les travaux d'entretien du bâtiment étaient pris en charge, ni même des frais d'amortissement. Il n'en reste pas moins que les recettes ne cessèrent de croître, le souverain et les membres de sa famille donnant l'exemple à la fois par leurs achats personnels et par de nombreux cadeaux. Pour stimuler les ventes, chaque année, au moment du nouvel an, les créations les plus récentes étaient exposées et vendues dans les propres appartements du roi à Versailles. Enfin, de nombreux marchands diffusaient ces productions recherchées des amateurs.

Après la mort de Courteille, Bertin exerça directement son autorité sur la manufacture qui traversa une période de troubles graves : le caissier Schonen signala lui-même en 1770 qu'il avait procédé avec l'argent de la caisse à des spéculations malheureuses, perdant ainsi plus de deux cent cinquante mille livres qu'il ne put finir de rembourser qu'en 1775 ; il fut remplacé par Claude-François Marmet, et l'on profita de l'occasion pour ramener prudemment la caisse de Paris à Sèvres, sous les yeux du directeur. Marmet étant mort dès 1771, Boileau obtint une gratification de quarante mille livres pour marier sa belle-sœur, Melle Briois, au nouveau caissier, M. de Léviston, avant de mourir le 2 septembre 1772. La direction de Sèvres fut alors confiée par Bertin à Melchior-François Parent, chargé depuis plusieurs années de suivre dans ses bureaux ce qui concernait l'établissement. Parent obtint que son fils lui succède au ministère, supprimant ainsi tout contrôle sur sa gestion, et fit en sorte, par une série de lettres hypocrites, que le ministre lui-même renvoie l'honnête Léviston en septembre 1773 pour le remplacer d'abord par Daniel-Jean-Philippe Blanchard, arrêté pour vol et comptes frauduleux en juin 1774, puis par le très jeune Pierre-Jean Roger dont la mère servait de prête-nom à Parent pour des achats d'immeubles depuis 1771. Pendant que Roger trichait sur les montants des salaires et dépenses quotidiennes, sans tenir de comptabilité précise, Parent continuait de spéculer avec les fonds qu'il aurait dû verser dans la caisse et des emprunts contractés au nom de la manufacture. Il fallut qu'il soit traduit devant la grande chambre du Parlement de Paris pour « faux, banqueroute frauduleuse et soustraction d'effets » à l'automne 1778 pour que Bertin ouvre enfin les yeux. Parent et Roger furent emprisonnés et condamnés solidairement à rembourser les deux cent quarante mille sept cent vingt et une livres qui manquaient à Sèvres et remplacés, le premier par Antoine Régnier et le second par Angélique Barrau ; Bertin démissionna en mai 1780 et la manufacture, confiée durant quelques mois au contrôleur général Necker, fut placée par celui-ci dans les attributions du directeur des Bâtiments, Claude-Charles d'Angiviller en septembre 1780. Alors enfin, la manufacture retrouva le calme.

LA DÉCOUVERTE DE LA PÂTE DURE

Cette période malheureuse avait cependant été marquée par un événement considérable : la mise au point de la pâte dure. En fait, on avait dès l'origine souhaité produire cette matière fascinante, assez résistante pour que l'on pût y fondre la pâte tendre et capable de résister à des changements de température brutaux.

Tout le problème consistait à en identifier les éléments constitutifs et, surtout, à en trouver des gisements. Le kaolin, argile blanche qui forme la base du mélange nécessaire, avait été découvert en Saxe dès 1709, permettant la fondation de la manufacture de Meissen. À Vincennes-Sèvres, dès 1747, Gérin et son aide Gravant mirent au point ensemble une formule utilisant des terres kaoliniques de l'actuelle Belgique, sans probablement se rendre compte de son importance. Depuis lors, on avait à plusieurs reprises payé des essais, le plus souvent infructueux, acheté (ou refusé) des secrets qui mettaient tous en œuvre des matériaux pris à l'étranger, cependant que Macquer se livrait à plus de mille expériences sur des terres françaises, les seules que l'on fût prêt à utiliser. En 1764, une polémique s'engagea entre le comte de Brancas-Lauraguais et le chimiste Guettard, chacun prétendant avoir été le premier à identifier des kaolins en France et à produire de la pâte dure. Bertin fit envoyer à tous les intendants le mémoire publié par Guettard à cette occasion avec des échantillons de kaolin, leur recommandant de faire chercher des terres semblables dans leur province et d'encourager leur exploi-

Écuelle ronde et *Plateau ovale uni*, 1770. H. 11,5 cm. Sèvres, MNC (inv. 4992).
Il doit s'agir ici de l'un des premiers objets créés avec la pâte dure alors en cours de mise au point ; on savait déjà préparer et poser des ors de nuances diverses, alors que la gamme des couleurs était encore limitée et sombre. Le décor ressemble aux productions de Meissen telles qu'on les copiait à Vincennes, peut-être parce qu'il a été peint par l'un des ouvriers d'origine germanique embauchés pour aider à la mise en route de cette production toute nouvelle en France.

tation. Des exemples furent également confiés à des géologues-chimistes amateurs de passage, entre autres à l'archevêque de Bordeaux en 1767. Celui-ci renvoya bientôt un peu de la terre si recherchée, fournie par Marc-Hilaire Villaris, apothicaire de sa ville, qui la tenait de Jean-Baptiste Darnet, ancien chirurgien des armées installé à Saint-Yrieix. La légende veut que le véritable « inventeur » ait été Mme Darnet, qui utilisait cette terre blanche pour la lessive. Villaris refusant de révéler le lieu d'origine du kaolin avant d'avoir été récompensé pour sa découverte, Macquer reçut du ministre l'ordre de se rendre sur place avec Robert Millot, le chef des fours, et de trouver lui-même le gisement. En présentant à Villaris des échantillons d'une terre similaire trouvée dans les environs de Dax, ils finirent par obtenir qu'il leur montre le gisement dont ils purent acheter le droit d'extraire au nom du roi. Villaris reçut quinze mille livres de récompense, Darnet fut chargé de surveiller l'extraction et l'expédition des terres, et Macquer seulement remboursé de son voyage dont il n'avait pas su garder le secret.

Restait à organiser la production de cette nouvelle porcelaine en principe plus simple à préparer, donc moins onéreuse. Il fallut cependant adapter les fours à la très haute température nécessaire et mettre au point couverte et matériel d'enfournement. La décoration posa également des problèmes. On sut rapidement préparer l'or : non plus en le broyant longuement, comme celui qu'on utilisait avec la pâte tendre, mais en le préparant par voie chimique en le précipitant en particules beaucoup plus fines. Ce nouvel or se révéla rapidement susceptible d'être nuancé de rouge ou de vert, permettant des effets d'une grande subtilité. Il fallut aussi apprendre à préparer les couleurs qui, au lieu d'être pratiquement absorbées par la couverte – donnant ainsi l'impression de fluidité caractéristique de la pâte tendre –, restaient à la surface où il était difficile de les faire adhérer et de leur donner le juste degré de brillant indispensable. De plus, comme les deux pâtes ne pouvaient se travailler dans les mêmes ateliers et qu'il n'était pas question de renoncer aux qualités artistiques de la pâte tendre, Parent dut faire doubler les salles de préparation et de façonnage et en profiter pour faire construire un nouveau moulin. Jusqu'à la fin du siècle, Sèvres continua de travailler les deux porcelaines.

LA PRODUCTION

L a production ne semble guère avoir eu à souffrir des troubles administratifs. Les pièces de table créées à Vincennes continuèrent d'être utilisées même après que Catherine II de Russie eut commandé en 1777 un immense service aux formes spéciales (sans pour autant que celles-ci correspondent à des fonctions nouvelles), toutes inspirées de l'antique. La souveraine exigea cependant un fond bleu turquoise qui contraignit à utiliser la pâte tendre. De toutes les pièces créées pour elle, Sèvres ne retint pour sa production courante que l'assiette à bord lisse dite unie. Parmi les autres objets nouveaux figurent les plaques destinées à être montées dans des meubles ou à être présentées comme de véritables tableaux. C'est encore dans le domaine des vases que les inventions furent les plus nombreuses : parallèlement à la naissance de formes encore souples, on assista d'abord à l'apparition de curieux mélanges juxtaposant courbes baroques et ornements relevant du style alors nommé « grec » ou « sévère », par exemple avec le raide socle à cannelures dessiné en 1763 par Duplessis pour le *Vaisseau à mât*. Peu à peu, les éléments antiquisants – postes, rinceaux, rosettes, lourdes guirlandes, méandres géométriques –

Vase Grec à festons, vers 1765. H. 30 cm. Paris, musée du Louvre (inv. OA 10 908).
Cette forme créée en 1764 montre des éléments antiquisants (grecque, épaisses guirlandes de laurier, cannelures, chutes de piastres, prise lisse, camées peints) caractéristiques du « style grec » ou « style sévère » alors fort en vogue, et juxtaposés ici pour former un ensemble un peu lourd, dans la période formant la transition entre le baroque et le véritable style néoclassique.

furent intégrés à des formes plus rigoureuses, cette évolution étant probablement encouragée par Falconet, chef de la sculpture jusqu'à son départ pour la Russie en 1766, puis par Bachelier.

De même, à côté de ses nombreux groupes d'enfants, suivant l'impulsion donnée par Boucher, Falconet introduisit-il à Sèvres des œuvres mythologiques d'un goût plus classique, tel son *Pygmalion*. Bachelier, chargé de ce secteur en plus de celui de la décoration après 1766, accentua cette évolution en faisant éditer à la fois des modèles antiques comme le groupe de *Castor et Pollux* et des œuvres contemporaines fortement marquées par le style nouveau, tels le *Mercure* de Pigalle ou le *Faune* de Saly. Le surtout qu'il conçut pour le mariage du Dauphin et de Marie-Antoinette (1770) est typique avec ses

Tasse Litron et Soucoupe, 1769. H. 5,7 cm. Londres, Wallace Collection (inv. C 347). L'invention du *Gobelet Litron*, c'est-à-dire la transformation d'un récipient de mesure cylindrique en tasse, fut l'un des coups de génie des premières années de la manufacture et la forme fut aussitôt copiée par toutes les fabriques d'Europe. Le décor juxtapose un fond bleu « pointillé » (à ne pas confondre avec le fond dit « Taillandier » où, en principe, les ronds blancs sont entourés d'or et renferment un point de couleur alors qu'ils sont ici cernés de points colorés) avec un décor peint en grisaille, procédé qui connut une brève vogue à la fin des années 1760.

Commode avec plaques de porcelaine, 1774. H. 86,5 cm. Paris, musée du Louvre (inv. OA 11 294).
Dès les années 1760, les ébénistes commencèrent de monter des plaques en porcelaine de Sèvres sur divers types de meubles. Bien qu'il existe des pièces exceptionnelles à décors purement ornementaux ou inspirés de peintures contemporaines, les motifs végétaux sont les plus fréquents, que les fleurs soient semées, groupées en bouquets dans des vases ou, comme ici, massées dans des corbeilles suspendues à de fictifs clous dorés.

colonnades sévères et ses figures de divinités mythologiques tempérées par des fontaines et des groupes d'enfants. En 1773, la sculpture fut confiée à Louis-Simon Boizot qui créa des groupes classicisants de tailles très diverses inspirés par la vie quotidienne, le théâtre, la mythologie et, surtout, l'allégorie.

Les fonds de couleurs continuèrent de se diversifier : rose vif (1758), bleu nouveau (1763), bleu Fallot (1769) et autres permirent des combinaisons sans cesse variées pour séduire une clientèle toujours soucieuse de la dernière mode : vert/bleu et vert/rose (1758), vert/ rose/bleu (1760), rose marbré de bleu et d'or (vers 1762) ou cercles blancs du « fond Taillandier » par exemple. Des formes géométriques pures (cercle, ovale, rectangle) furent adoptées pour les cartels, entourées de simples filets d'or guilloché alors que les ornements en dorure, assagis et réguliers, ponctuaient les fonds. Les sujets peints restèrent extrêmement divers : les fleurs vont de somptueux bouquets réalistes noués ou placés dans des corbeilles à des semis de petites floraisons,

Assiette plate et deux *Tasses à glace russes*, 1778-1779. D. de l'assiette 26,5 cm. Sèvres, MNC (inv. 22 602).
En 1776-1777, l'impératrice Catherine II de Russie commanda un très important service de table à la manufacture de Sèvres. Elle exigea que toutes les pièces adoptent des formes nouvelles inspirées de l'antique – c'est la première apparition à Sèvres de l'assiette à bord lisse – et, pour le décor, un fond bleu céleste, des peintures imitant les camées qu'elle collectionnait avec passion, des fleurs et son chiffre (E pour Ekaterina). Cet ensemble somptueux lui fut expédié en juin 1779, après qu'un grand nombre de courtisans fut venu l'admirer, et elle finit de le payer en 1781, avec une rapidité que bien des clients auraient dû imiter.

imaginaires ou non. Les oiseaux, qui ne sont plus nommés après la fin des années 1760, sont souvent copiés d'après des modèles ornithologiques mais presque toujours représentés dans des paysages de pure fantaisie. Les miniatures copient des maîtres contemporains – Boucher, Van Loo – ou anciens, en particulier flamands, ou des compositions originales : scènes marines ou militaires. Parmi les nouveaux procédés de décor figurent la peinture de scènes en grisaille claire imitant le bas-relief et les têtes ou scènes sur fond brun-rouge pour imiter les camées antiques, qui constituent l'un des principaux éléments décoratifs du service de Catherine II (avec de véritables camées en pâte de porcelaine incrustés dans les pièces hautes). Les décors purement ornementaux imitant broderies ou étoffes sont innombrables. L'influence de la Chine, enfin, si forte sur tous les arts décoratifs de l'Europe du XVIIIe siècle, se manifesta à Sèvres par une première série de pièces peintes vers 1760 par Charles-Nicolas Dodin, s'inspirant à la fois des *Chinoiseries* de Boucher et d'objets authentiques, avec des couleurs imitant l'aspect translucide des productions chinoises puis, au début des années 1770, par de sobres vases monochromes montés en bronze.

L'Homme entre les deux âges, modèle en plâtre, 1789. H. 31 cm. Sèvres, MNS. Archives.

Louis-Simon Boizot fut nommé en 1773 artiste en chef chargé de la sculpture. En fait, son rôle fut beaucoup plus étendu puisqu'il dessina également des formes de vases et de pièces de service. Ses figurines et groupes en biscuit sont très variés : copies d'antiques, groupes mythologiques, allégories ; ici, le sujet s'inspire d'un conte de Jean de La Fontaine.

DE 1780 À LA RÉVOLUTION

DIFFICULTÉS ÉCONOMIQUES

La manufacture connut de nouveau le calme entre 1780 et la Révolution, sous la très stricte surveillance du comte d'Angiviller. Le personnel dirigeant resta en place, augmenté en 1785 d'un adjoint au directeur, le méticuleux Jean-Jacques Hettlinger. Bachelier continua de diriger tout ce qui concernait la décoration et de donner des modèles dans son style ornemental habituel, mais on lui adjoignit en 1785 le peintre Jean-Jacques Lagrenée le Jeune, plus au courant des tendances nouvelles, chargé avec Boizot de concevoir également les formes.

La situation de Sèvres déclina pourtant à cause à la fois de la concurrence et de la dégradation des finances royales. D'une part, elle se trouva en rivalité avec une foule de petites entreprises nées grâce à la découverte du kaolin, aussi bien à Paris et dans sa région qu'en province. L'heure était au libéralisme et, en dépit de protestations et suppliques, l'application rigoureuse du privilège qui aurait dû réserver à Sèvres sculptures, décors poly-

Racine, 1783 (modèle). H. 40 cm. Sèvres, MNC (iv. 12 975).
Non content de demander aux meilleurs sculpteurs – en l'occurrence, Louis-Simon Boizot – une série de figures des *Grands Hommes de la France*, debout ou assis, le comte d'Angiviller décida en 1782 de leur faire exécuter des réductions en terre cuite pour faire éditer celles-ci à Sèvres. Contrairement aux espoirs du ministre, ces coûteuses et solennelles figurines ne rencontrèrent pas le succès escompté. Elles continuèrent cependant d'être éditées jusqu'au milieu du XIXᵉ siècle.

chromes et or pour ne laisser aux autres que les pièces blanches ou peintes en camaïeu ne put jamais être obtenue ; d'autant moins que la plupart des fabriques s'arrangèrent pour obtenir la protection de divers membres de la famille royale, décourageant ainsi toute velléité de poursuites. D'Angiviller en vint à essayer à plusieurs reprises de les concurrencer sur leur propre terrain en faisant produire des pièces simplement ornées de chiffres ou de rébus, dans l'espoir d'élargir la clientèle au-delà du cercle des courtisans dont la situation financière ne cessait de se détériorer. D'autre part, Louis XVI manifesta le même désir d'économies : après avoir ordonné une considérable réduction des prix de vente en 1775-1776, il tenta de supprimer son aide financière au moment précis où Parent et Roger vidaient les caisses. La manufacture perçut encore quatre-vingt-seize mille livres du Trésor royal en 1775 ; elle n'en reçut que cinquante mille en 1776 et 1777, trente-six mille en 1778 puis plus rien de 1779 à la fin de 1783. Voyant qu'il serait impossible de rien récupérer sur la succession de Parent (mort en 1782), d'Angiviller réussit à convaincre le souverain de rétablir un subside annuel, théoriquement de quatre-vingt mille livres, en 1783 ; mais celui-ci ne fut versé que de façon très irrégulière et cessa avec les vingt-six mille livres de 1788. La situation était d'autant plus difficile que les exigences du ministre coûtaient fort cher ; en 1784, par exemple, le Trésor avança bien cent mille livres, mais Sèvres dut dépenser quatorze mille livres pour les premiers modèles de la série des *Grands Hommes* dont on lui imposa d'éditer des répliques en biscuit ; près de trente mille livres pour de grands vases ornés de bas-reliefs sculptés d'après Boizot et de bronzes de Thomire, destinés à prouver la supériorité de la manufacture sur ses rivales lors de l'exposition à Versailles ; et plus de quatre-vingt-quatre mille livres pour l'achat de la fabrique de Grellet à Limoges, sans compter les seize mille livres de fonctionnement de cette entreprise au cours de l'année. D'Angiviller espérait réaliser ainsi des économies en faisant façonner les pièces sur place, là où la main-d'œuvre, le bois et les matières premières coûtaient moins cher, en réservant la décoration aux artistes de Sèvres. Ce projet se révéla malheureusement impraticable et la manufacture de Limoges ne fut pour Sèvres qu'une lourde charge financière.

LE STYLE NÉOCLASSIQUE

Cette période fut marquée par la mise en place d'un style néoclassique de plus en plus fortement dépendant de sources archéologiques. La toilette offerte en 1782 par Marie-Antoinette à la future tsarine, voyageant sous le transparent pseudonyme de comtesse du Nord, est caractéristique d'une période de transition : certaines formes peuvent être rapprochées de modèles antiques publiés, les figures en biscuit dessinées par Boizot pour l'entourage du miroir central sont d'une sobriété toute classique ; l'ornementation en revanche est plus hésitante : on y voit apparaître ce que l'on nommait alors « figures étrusques » ; il s'agit bien de compositions bichromes mais le traitement en or sur fond bleu est bien éloigné de l'effet des terres cuites antiques, d'autant que les pièces sont enrichies d'un nouveau type de décor formé d'émaux transparents fixés sur des feuilles d'or découpées dans des matrices d'acier et appliquées sur la porcelaine, procédé somptueux qui jouit d'un bref engouement entre 1780 et 1785.

Le service commandé pour Louis XVI à l'architecte Louis Le Masson relève du même esprit nouveau : formes sévères et anguleuses et décors inspirés des arabesques romaines de la *Domus Aurea* de Néron, via Raphaël au Vatican. Alors que l'on ne continua d'éditer que très peu des formes créées à cette occasion, ce type d'ornementation prit rapidement une place prépondérante. Le ministre était manifestement en avance sur son souverain, si l'on en juge par les choix de ce dernier lorsqu'il commanda lui-même un service d'apparat destiné à Versailles, en 1783 : formes datant de Vincennes, fond beau bleu, riches

Tasse Litron et Soucoupe, 1782. H. 5,9 cm. Londres, The British Museum (inv. 1939, 3-4, 1).
Le décor dit « Figures étrusques » fut introduit à Sèvres en 1782. Il s'agit de figures en or posé sur un fond bleu que laissent réapparaître les délinéations finement gravées. On a donc bien un système à deux couleurs, mais la somptuosité de l'or sur le bleu, rehaussée encore par les frises d'émaux sur paillons d'or appréciées entre 1780 et 1785, est bien éloignée de l'effet des terres cuites antiques censées avoir servi de modèles.

Gobelet Cornet, 1788. H. 11 cm. Sèvres, MNC (inv. 6 795).
En 1787, le comte d'Angiviller eut l'idée d'égayer les séjours de Marie-Antoinette à Rambouillet en faisant amé-
nager dans le parc une Laiterie équipée, entre autres, de récipients en porcelaine de Sèvres. Boizot et Lagrenée dessinèrent formes et décors inspirés de l'antique, évoquant le thème du lait de manières diverses et gra-
cieuses. Certains des modèles passèrent rapidement dans la production courante de la manufacture, tel le présent *gobelet Cornet*. Dans les projets de la Laiterie, il ne comportait pas de soucoupe, celle-ci n'apparaissant
que plus tard, pour adapter la tasse à une utilisation ordinaire. La soucoupe illustrée ici ne correspond donc
pas au gobelet.

rinceaux d'or et miniatures polychromes, on ne peut guère ima-
giner plus traditionnel. Ce qui n'empêcha pas d'Angiviller d'in-
sister sur le « goût étrusque » quand il fit entreprendre en 1786 par
Boizot et Lagrenée les pièces destinées à la Laiterie qu'il installait
à Rambouillet pour Marie-Antoinette ; *Gobelets étrusque* et *cornet*
furent rapidement intégrés à la production courante.

Les nouvelles formes de vases furent relativement moins nombreuses : on retrouve les mêmes profils sobres, agrémentés parfois d'ornements antiques (têtes d'aigles, sirènes, thermes) dans
les créations de Boizot et Lagrenée ou des chefs d'atelier Josse-
François-Joseph Le Riche (sculpture) et Jacques-François de Paris
(pâte tendre).

Dans le domaine de la sculpture, Boizot et Le Riche multipliè-
rent allégories et sujets à l'antique aussi bien pour des figures
et groupes que pour des plaquettes et médaillons, parfois traités en relief blanc sur fond de couleur claire, de tailles extrê-

Vase Paris, vers 1779. H. 38,9 cm. Londres, Wallace Collection (inv. C 331).

Le nom du modèle vient de son concepteur, Jacques-François Paris (ou de Paris, Deparis) alors chef des repareurs et auteur de plusieurs autres formes de vases, toutes relativement proches par leur ligne ovoïde simple. On retrouve sur ce décor mêlant grotesques et chinoiseries des fleurs et oiseaux orientaux dont les délinéations sont cernées ou soulignées d'or pour suggérer la transparence des émaux chinois. On a essayé d'enrichir cette délicate composition avec des traits d'argent qui se sont rapidement ternis. C'est sans doute à la suite de telles expériences que l'on adopta le platine, moins altérable.

mement diverses puisqu'elles vont du chaton de bague ou bouton d'habit à l'élément central d'une table représentant *Télémaque et Calypso*. Les fleurs modelées, enfin, après une longue éclipse, semblent être revenues à la mode, mais laissées en biscuit blanc pour former bouquets ou guirlandes appliquées.

Nous avons vu que les arabesques antiquisantes avaient pris une grande importance ; on utilisa également d'autres sources nouvelles : les oiseaux s'inspirèrent des éditions illustrées de l'*Histoire naturelle* de Buffon et furent de nouveau nommés ; dans un même esprit scientifique, on eut tendance à représenter des espèces florales naturalistes : roses, volubilis, pensées, chèvrefeuille. Le ministre, soucieux de renouveler les sources d'inspiration, acheta des ouvrages à figures et des gravures, en même temps qu'il acquérait en 1786 la suite des « vases étrusques » réunie par Dominique-Vivant Denon.

Les sujets habituels ne furent pas abandonnés pour autant et l'on retrouve des compositions de fleurs fantaisistes, des ornements ainsi que des miniatures historiées inspirées de tableaux ou gravures dans des cartels ménagés sur des fonds de couleurs de plus en plus variées, de petit ou grand feu, ainsi que des chinoiseries fantaisistes et des effets nouveaux : fonds marbrés ou chatoyants. C'est également pour fournir des modèles de cartels que fut acquis en 1785 l'ensemble des études de l'atelier de François Desportes, peintre des chasses de Louis XIV et de Louis XV, bien qu'elles semblent n'avoir guère été utilisées.

Assiette plate unie, 1792. D. 24 cm. Sèvres, MNC (inv. 12 829).
Dès leur parution, les planches gravées et coloriées des volumes de l'*Histoire naturelle* de Buffon représentant des oiseaux furent utilisées à Sèvres pour renouveler ce genre : les volatiles plus ou moins fantaisistes, en mouvement dans des paysages imaginaires, furent remplacés par des espèces soigneusement observées dont les noms étaient inscrits sous les pièces. Le fond brun écaille, l'un des rares capables de résister au grand feu, mis au point dans les dernières années du XVIIIᵉ siècle, participe à la rigueur de l'ensemble.

LA PÉRIODE RÉVOLUTIONNAIRE

LES TEMPS DIFFICILES

La période révolutionnaire fut évidemment catastrophique pour cette fabrique de produits de luxe ; dans un premier temps, Louis XVI décida de la conserver sur son domaine privé, mais en imposant de sévères économies : les salaires ne furent plus augmentés, et les ouvriers morts ou sortis pour aller travailler ailleurs ou se battre, non remplacés, quitte à passer ceux qui restaient d'une spécialité à l'autre au gré des besoins. Les clients nobles, qui vivaient presque tous de rentes sur le Trésor royal pas ou mal payées, ne remboursèrent pratiquement jamais leurs achats à crédit ; ils furent bientôt contraints d'émigrer en sorte que les seules rentrées d'argent provinrent d'achats de marchands étrangers ou de catastrophiques ventes à l'encan. Après la chute de la royauté, la manufacture passa aux mains de l'État, qui ne semble pas avoir envisagé sa suppression. Il fallut une lettre du ministre de l'Intérieur en juillet 1793 pour que Régnier abandonne la marque au chiffre royal ; encore, certains des plus anciens peintres continuèrent-ils pendant quelques années à joindre les traditionnelles lettres-dates au chiffre de la République. Aux pires moments de la Terreur, dans l'été 1793, les ouvriers de la manufacture membres du Comité de salut public de Sèvres obtinrent l'arrestation des directeurs Régnier et Hettlinger, du caissier Jean-Hilaire Salmon l'aîné et du chef des peintres, Antoine Caton ; furieux de leur rapide libération, ils firent en sorte que les pleins pouvoirs fussent délégués au chef des fours, Jean-Benoît Chanou, que l'on dut bientôt destituer pour mauvaise gestion. Le calme revint en janvier 1795 avec la nomination de trois codirecteurs : François Meyer (rapidement démissionnaire), Hettlinger et Salmon l'aîné et la réinstallation comme directeurs artistiques de Boizot et de Lagrenée secondés par Corneille van Spaendonck. Le retour à la stabilité politique avec le Directoire puis le Consulat aurait dû permettre d'améliorer la situation puisque le renouveau du luxe provoqua d'innombrables demandes de livraison pour les services officiels et les présents diplomatiques. Malheureusement, l'argent correspondant ne fut jamais versé, de sorte que les dettes de la manufacture ne cessèrent d'augmenter envers fournisseurs et ouvriers auxquels de maigres subsides en nature permettaient à peine de survivre. Finalement, les bureaux de Lucien Bonaparte, ministre de l'Intérieur, prirent en 1800 d'énergiques décisions : après avoir renvoyé plus des deux tiers de l'effectif en promettant une pension aux sexagénaires ayant plus de vingt ans de maison, on nomma pour directeur un jeune savant, Alexandre Brongniart.

LA PRODUCTION

En dépit de toutes les difficultés, du manque croissant de matières premières, de bois et d'or, la manufacture ne cessa ni de produire ni d'innover. S'il est vrai que l'on note peu de nouvelles formes de service à part l'ensemble « coupe » pour la table et une série de déjeuners, le domaine de la sculpture, en revanche, fut extrêmement actif à la fois pour pouvoir suivre le cours des événements et parce que la possibilité de multiplier les exemplaires permettait de mieux compenser les frais d'établisse-

Les Martyrs de la Liberté, modèle en plâtre, 1794. H. 33 cm. Sèvres, MNS. Archives.
Le secteur de la sculpture fut l'un des plus actifs durant la Révolution : médaillons et bustes furent créés en grand nombre pour célébrer les héros du jour. Les groupes vont de l'allégorie politique directe aux allusions plus voilées. Nous ignorons l'auteur de cette fidèle évocation de l'une des grandes fêtes révolutionnaires, organisée en l'honneur des jeunes héros martyrs Bara et Viala.

ment des modèles. À côté des traditionnels sujets allégoriques ou mythologiques, on trouve bustes et médaillons de la famille royale puis des héros du jour ainsi que des allégories en ronde-bosse ou bas-relief : la *Justice*, la *Liberté* aussi bien que *La France gardant sa Constitution* ou *L'Égalité des Noirs*.

Tasse Litron et Soucoupe, 1794. H. 6,8 cm. Paris, musée Carrnavalet, (inv. C 1913)
Les sujets d'inspiration aussi manifestement révolutionnaire que celui-ci ne furent employés que sur de petites pièces et pendant une assez brève période, correspondant au pire de la Terreur. Outre les attributs divers alors à la mode, la polychromie générale, où le rouge des rayures fait écho au bleu marbré du fond du cartel et au blanc de la soucoupe, évoque le nouveau drapeau national.

Les « décors nationaux » ne prirent d'importance que pendant les quelques mois de la Terreur, et furent peints surtout sur de petits objets : outre des portraits de révolutionnaires présents ou passés et des évocations similaires à celles de la sculpture, on trouve cocardes ou rubans tricolores et des attributs dérivés autant de la franc-maçonnerie (balance, équerre, triangle de l'égalité) que de la République romaine (faisceaux de licteurs, enseignes, feuilles de chêne ou de laurier), sans compter des allusions plus discrètes comme les « capucines et barbeaux » ou « pervenches et coquelicots » sur fond blanc. Comme la majorité des clients consistait en marchands commerçant avec l'étranger, il est normal que ce type d'ornementation soit resté marginal par rapport à des décors moins marqués politiquement. On est surpris de voir apparaître en 1791 de très riches chinoiseries en ors de couleurs et platine sur fond noir parfois accompagnées de « fleurs émaillées », à côté de simples décors floraux avec bruyère, lilas ou raiponce en compositions légères. Vinrent ensuite des fonds porphyrés, des figures imitant le bronze et de riches miniatures d'après Lagrenée (figures) ou van Spaendonck (fleurs), annonciateurs d'un goût en pleine évolution.

LA DIRECTION
D'ALEXANDRE BRONGNIART

LA SITUATION ADMINISTRATIVE

On pourrait s'étonner du choix d'un homme jeune – Brongniart avait alors trente ans – et sans aucune expérience ni de la céramique ni de la gestion – ingénieur des Mines, il n'avait fait qu'enseigner et se livrer à diverses recherches et expériences sur la minéralogie, la géologie et la zoologie – pour relever une fabrique de porcelaine prestigieuse mais dans un état déplorable. Par chance, ce choix se révéla des plus heureux et il fit preuve d'immenses qualités à la tête de la manufacture jusqu'à sa mort en 1847 : homme extrêmement méthodique et parfaitement intègre dont la bonté généreuse atténuait la sévérité, esprit ouvert et curieux, il s'assura l'estime de ses supérieurs hiérarchiques successifs et de ses collègues de l'Europe entière. Fils de l'architecte Théodore Brongniart, réputé dans les dernières années de l'Ancien Régime, il mit à profit ses relations avec artistes, savants et voyageurs dans l'intérêt de la maison à laquelle sa nomination parallèle au poste de professeur de minéralogie au Jardin du roi (1822) ne l'empêcha pas de consacrer une intense activité.

Il lui fallut d'abord redresser la situation et trouver l'argent indispensable pour payer ouvriers et fournisseurs. Il commença donc par baisser substantiellement les prix des porcelaines anciennes du magasin pour persuader des commerçants étrangers de les acquérir et vendit à l'encan toutes les pièces blanches aux formes démodées, ce qui lui permit de donner des avances encourageantes aux marchands de matières premières et de tirer de la misère les artistes que la concurrence cherchait à lui arracher. En même temps, il eut le courage de ne livrer leurs commandes aux différents services du gouvernement qu'en échange de paiements au moins partiels. Il réussit ainsi à résorber peu à peu les

Deux *vases Jasmin*, 1800-1802. H. 22 cm. Versailles, Grand Trianon (inv. T. 157).
La forme du *vase Jasmin* fut l'une des premières créées sous la direction d'Alexandre Brongniart et connut de nombreuses variantes. Certains des premiers exemplaires étaient composés d'un cornet amovible s'encastrant dans la base, avant l'adoption d'un modèle d'un seul tenant. Le léger décor est typique des années de transition avant la mise en place du rigide style impérial ; les figures flottantes témoignent de l'influence des fresques de Pompéi.

dettes, encore que la situation de la manufacture n'ait été véritablement assurée qu'avec son inscription sur la liste civile de l'Empereur. Brongniart reçut dès lors des subsides annuels dont il dut régulièrement discuter les montants, menaçant constamment de se trouver contraint d'interrompre les travaux exigés par le service des gouvernements pour ne pas dépasser les crédits prévus, tout en discutant avec acharnement le prix des travaux à payer aux artistes et aux employés. Il eut sans cesse à démontrer que la manufacture de Sèvres n'était pas plus chère que les entreprises privées, à qualité égale du moins, en insistant pour que les services officiels prennent à Sèvres même les pièces les plus courantes qui, seules, lui permettaient de répartir ses faux frais.

La manufacture, portée sur la liste civile des souverains successifs, eut avec ceux-ci des rapports variables. L'essentiel des choix fut laissé à l'initiative du directeur, en dehors de quelques commandes spécifiques de Napoléon – qui ne furent d'ailleurs pas toutes exécutées – et des interventions directes de Louis-Philippe concernant l'iconographie des vitraux destinés à ses résidences. Pour le reste, Brongniart eut la tâche délicate de s'adapter au goût des dirigeants et de leurs administrations et d'anticiper ce qui lui serait demandé. Il semble n'avoir guère eu de difficultés, même quand Victor Schoelcher réclama la suppression de l'établissement. L'influence du pouvoir se marqua principalement par la différence de proportions entre ce qui était livré pour usage et présents et ce que l'on pouvait vendre : alors que Napoléon et Louis-Philippe absorbaient la quasi-totalité de ce que Sèvres fabriquait, Louis XVIII et Charles X se montrèrent beaucoup plus modestes, tout en continuant d'offrir les pièces les plus importantes, de nouveau présentées chaque année au Louvre.

La production sous l'Empire

Dès son arrivée, Brongniart décida d'éliminer formes et décors obsolètes pour les remplacer par des nouveautés. Dans les premières années, il eut pour conseillers artistiques officieux son père, l'architecte, ainsi que Dominique-Vivant Denon, bientôt directeur du Musée impérial. La période précédant l'avènement de l'Empire, qui correspond aux efforts désespérés du nouveau directeur pour trouver un peu d'argent, ne fut pas très riche en créations : il s'agit de formes sobres (*vase Jasmin, tasse à thé Coupe, déjeuner Pestum*) ornées de légers décors à l'antique encore dans l'esprit de Lagrenée ; le *service à vues de Suisse* (1802) est un premier exemple des paysages réalistes si nombreux par la suite.

La période impériale vit triompher, à Sèvres comme ailleurs, un style raide et sévère influencé surtout par les fastes de la Rome impériale. Charles Percier et Brongniart père dessinèrent des vases ornementaux aux profils épurés, tout en remaniant des créations antérieures, de même que de nouvelles gammes de pièces de service pour la table et le déjeuner, d'objets de toilette et d'ornement (pots à eau et lavabos, veilleuses et candélabres). Les objets d'ameublement se diversifièrent : plateaux et pieds de table, coffres, piédestaux, colonnes monumentales et plaques de toutes tailles. Pour la sculpture, les pièces les plus importantes – en dehors des bustes, figures et médaillons du souverain et des membres de sa famille – furent les grands surtouts destinés à

Pot à eau Grec et *Cuvette ovale Navette*, 1807. H. du pot à eau : 30 cm. Compiègne, Musée national du château (inv. 1938 C 1067 et 1068).
A. Brongniart insista toujours pour que le Garde-Meuble lui achète non seulement les grandes pièces d'apparat que Sèvres seule était capable de produire, mais aussi les objets courants qui lui permettaient de mieux répartir ses frais généraux. Le fond blanc, visible derrière la guirlande en quasi-camaïeu, et la douceur générale des coloris viennent tempérer la rigueur des formes.

accompagner les services de table. Il ne s'agissait plus désormais de réunions dues au hasard des pièces disponibles mais d'ensembles cohérents, strictement disposés et liés aux thèmes décoratifs.

Pour les décors, on retrouve le système traditionnel des cartels à miniatures réservés sur des fonds de couleur enrichis d'or. Les sujets relèvent souvent de la propagande, directe (portraits du souverain et de ses proches ou évocation des hauts faits du règne) ou plus détournée (représentation de lieux visités ou habités par l'empereur). On trouve, heureusement, des mises en page moins riches, portant de légers ornements floraux ou décoratifs, et quelques procédés nouveaux. L'imitation des mosaïques florentines en pierres dures ne connut qu'un succès éphémère, contrairement à la peinture en manière de camée à laquelle l'extension de la palette permit une extraordinaire subtilité.

Vase Étrusque à rouleaux, première grandeur, 1813. H. 120 cm. Sèvres, MNC (inv. 1823).
Sur une forme monumentale dérivée de modèles antiques, une frise polychrome évoque l'arrivée à Paris des objets d'arts venus d'Italie à la suite des campagnes militaires. Antoine Béranger travailla en couleurs à partir d'un simple dessin au trait d'Achille Valois. Brongniart réussit à sauver le vase en 1813 en grattant l'inscription « Musée Napoléon » pour la remplacer par « Musée royal », sans pour autant effacer les abeilles, il est vrai peu lisibles, du décor en or dessiné par son père, l'architecte Alexandre-Théodore Brongniart. Le vase ne fut jamais livré pour l'ameublement d'un château royal, mais directement passé de la manufacture au musée créé en son sein.

LOUIS XVIII ET CHARLES X

Corbeille Fragonard, 1823. H. 27,5 cm. Paris, musée des Arts décoratifs (dépôt du Mobilier national en 1927, inv. GML 862).
Ce type de corbeilles – celle-ci fut dessinée en 1817 par Alexandre-Évariste Fragonard – se multipia sous la Restauration ; elles pouvaient servir sur une table pour former de légers surtouts, ou se poser sur cheminées et consoles. Une doublure en métal permettait d'y placer des plantes. Le présent exemplaire doit également avoir été enrichi d'anses en bronze aujourd'hui disparues, comme en témoigne l'existence de trous de montage.

La Restauration correspondit à un néoclassicisme plus aimable, quelque peu tempéré de souplesse et de fantaisie, infléchi par les débuts de l'historicisme avec les prémices du néogothique. On note peu de créations de formes, en dehors d'une série de petits objets décoratifs (écritoires, coupes, pendules, guéridons). Pour la sculpture, outre les représentations des souverains et des membres de leur famille présents ou passés, on produisit une série de corbeilles ornementales appelées à remplacer sur la table les rigides surtouts de l'époque précédente, et quelques figures d'esprit déjà romantique dessinées par Alexandre-Évariste Fragonard.

C'est pour les décors que le changement fut le plus net : les Bourbons continuèrent d'utiliser la manufacture pour leur propagande et on trouve portraits des souverains et membres de la famille royale, représentations des événements marquants de leurs règnes (*vase de la Campagne d'Espagne* du duc d'Angoulême, *table du Sacre* de Charles X) et, moins directement, d'innombrables allusions à leur ancêtre le plus populaire, Henri IV.

Mais c'est aussi dans cette période que l'on vit clairement émerger le goût encyclopédique de Brongniart : garnitures de vases, déjeuners et services furent conçus par lui sur des thèmes précis et des programmes détaillés auxquels même les ornements annexes devaient être strictement liés ; furent ainsi mises à contribution la botanique (*service des Plantes comestibles* ou de

Guéridon, 1821. H. 81 cm. Sèvres, MNC (inv. 23 441).

A. Brongniart décida en 1821 d'entreprendre une série de petits guéridons pour utiliser des colonnes et balustres faits en surnombre et sauver des parties de grandes plaques mal venues, les montures étant soigneusement adaptées pour masquer les gauchissements. Sur celui-ci, Jean-Charles Develly a évoqué l'ancêtre le plus populaire de la dynastie royale restaurée, Henri IV, en représentant au centre la fête populaire donnée à l'occasion de l'érection de la nouvelle statue du monarque sur le Pont-Neuf et, au pourtour, des épisodes célèbres de la vie du souverain, dans une série de médaillons peints en grisaille.

la *Culture des fleurs*), l'ornithologie (*service des Oiseaux de l'Amérique méridionale*), la géographie (*service des Départements*) et les techniques (*déjeuner de l'Art de la porcelaine* ou *service des Arts industriels*). C'est également à cette époque que les meilleurs artistes commencèrent à copier sur des vases ou de grandes plaques des tableaux célèbres – anciens

Assiette unie, service des Départements, 1827. D. 23,7 cm. Sèvres, MNC (inv. 12 861).

Le *service des Départements* commencé en 1824 fut l'un des plus ambitieux projets d'Alexandre Brongniart, une véritable encyclopédie. Chaque assiette, en effet, outre un lieu célèbre d'un département – ici « la Grotte des Estrois/près de Lyon » dans le département du Rhône, peinte par Van Marke – évoquait ses grands hommes par des portraits ou des listes, ses productions agricoles par des guirlandes et par la frise en or du bassin et enfin ses principales industries par des symboles. Des listes écrites au revers donnaient le détail de tous ces éléments. La vue centrale était peinte alors que les autres détails étaient imprimés en or (bassin) et en brun ou vert (marli) repris en couleurs.

Plaque avec copie d'un tableau de Gérard van Spaendonck, 1837. H. 110 cm. Sèvres, MNC (inv. 7 250).

L'enrichissement des palettes de couleurs et les progrès du coulage permettant d'obtenir de grandes plaques amenèrent à entreprendre d'ambitieuses copies sur porcelaine de tableaux de maîtres anciens et modernes. Leur but était, à une époque ne disposant d'aucun autre moyen de reproduction en couleurs, de sauver pour la postérité dans un matériau inaltérable des œuvres fragiles et sujettes au vieillissement. Moïse Jacobber a ainsi copié une toile prêtée par le Musée royal.

(Raphaël, Titien), ou contemporains (Gérard, Girodet) – afin de préserver pour l'avenir dans un matériau inaltérable le souvenir de ces trésors fragiles et périssables. Pour ce faire, Brongniart n'hésita pas à envoyer Marie-Victoire Jaquotot ou Abraham Constantin travailler d'après les originaux à Florence ou à Rome, quitte à faire voyager les plaques pour les cuire à Sèvres.

Déjeuner Chinois réticulé, 1840. Paris, musée du Louvre (inv. OA 11 098 à 11 111).
Ce type de pièces à double paroi, véritable tour de force technique inspiré d'originaux chinois, fut dessiné à Sèvres par Hyacinthe Régnier en 1832. Ces déjeuners furent produits, avec des décors très divers, sur deux sortes de plateaux : soit un plateau simple à anse centrale verticale, accompagnant normalement le *Déjeuner armillaire* ; soit, comme ici, un plateau spécial reposant sur un porte-plateau à pieds et comportant un porte-jatte élevé en son centre. Contrairement à Napoléon Ier, qui offrait volontiers des services de table, à Louis XVIII et à Charles X, qui préféraient donner des vases, Louis-Philippe et Marie-Amélie distribuèrent un grand nombre de ces précieux déjeuners.

À partir de 1830, on observe un changement radical, marqué par le triomphe du mouvement romantique et de son goût pour l'exotisme géographique et historique. Bien des pays de l'Orient se virent ainsi évoqués, depuis la Chine (*Déjeuner chinois réticulé*) jusqu'à l'Égypte (série des *Vases égyptiens* d'après les relevés de Champollion), la Turquie (*Pendule turque à musique*) ou l'Espagne mauresque (*vase de l'Alhambra* d'après les dessins d'Alexandre de La Borde et Adrien Dauzats). La naissance de l'historicisme fut d'autant plus importante qu'elle permit à Brongniart de faire preuve très tôt de son intérêt pour des matériaux céramiques à l'époque entièrement négligés. En même temps qu'il encouragea les tentatives faites par Charles Avisseau pour retrouver les techniques de Bernard Palissy ou les efforts du peintre Jules Ziégler pour faire revivre le grès à Voisinlieu, on vit à Sèvres des pièces inspirées par ces mêmes sources : *vase de la Renaissance* ou *déjeuner François Ier* polychromes d'une part, *Vases flamands* évoquant les grès rhénans du XVIe siècle de l'autre. Dans le même ordre d'idées, la *coupe Henri II* (1841-1846), avec son décor de pâtes incrustées, s'inspire des faïences fines alors dites d'Henri II qui commençaient tout juste à attirer l'attention des amateurs ; les décors peints en grisaille à l'imitation des émaux limousins du XVIe siècle font également leur apparition.

Bien entendu, les formes plus classiques et les sujets traditionnels ne disparurent pas pour autant. On trouve des vases à portraits de membres de la famille royale ou de leurs résidences, des évocations de leurs exploits (*coffrets des Actes maritimes du prince de Joinville*), et une propagande moins directe dans les innombrables représentations d'ancêtres choisis pour les verrières des résidences royales. Le goût de Brongniart pour une science tempérée de pittoresque transparaît encore dans de nombreux ensembles, tels les *Services forestier* ou *des Pêches maritimes* ou le *déjeuner de la Découverte du café*.

Il semble bien que ce soient des membres de la famille royale qui aient amorcé à Sèvres la remise à l'honneur des créations du XVIIIe siècle : Madame Adélaïde demanda en 1847 une

Vase de la Renaissance Chenavard, 1832. H. 135 cm. Fontainebleau, Musée national du château (inv. F 567 C).

Il est assez remarquable de voir A. Brongniart produire ce vase dessiné par l'ornemaniste Claude-Aimé Chenavard « dans le style de Bernard Palissy » dès 1832, à une époque où le potier est encore peu connu, au point que l'on a tendance à lui attribuer toutes les faïences de la Renaissance à reliefs colorés. Les bas-reliefs d'Antonin Moine montrent « Léonard de Vinci peignant *La Joconde* en présence de François Ier » et « Jean Goujon terminant sa statue de *Diane* en présence de Henri II ».

réédition du *surtout des Chasses* créé en 1776 ; la sculpture avait, sous Louis-Philippe, été relativement peu active et on n'y remarque – outre bustes et médaillons – que la *Jeanne d'Arc* de la princesse Marie, les deux groupes de l'*Ange gardien des enfants de France* par Comberworth et Pradier et la réédition d'un buste de *Napoléon Ier* au moment du retour des cendres.

Le duc de Nemours demanda en 1847 un service de table reprenant les formes créées à Vincennes par Duplessis, ornées d'un décor évoquant les créations de l'époque : fond bleu, or en relief et bouquets de fleurs. D'autres créations dans le même domaine furent les pièces dites « bosselage à godrons » et les œuvres de Jules Peyre, en particulier le *Service lobé* et les déjeuners à thé et café qui portent son nom.

La curiosité universelle de Brongniart, son intérêt pour les innovations, ses relations avec tous les acteurs du monde céramique lui permirent d'être au courant de tous les procédés nouveaux, même s'il n'en adopta que quelques-uns. En 1804 il prit la difficile résolution d'abandonner la fabrication de la pâte tendre au profit de la seule pâte dure ; le procédé d'impression à partir de plaques de cuivre gravées servit à poser dès 1806 le chiffre N couronné sur les pièces destinées aux officiers impériaux, puis les marques à partir de 1813, avant d'être adopté pour des frises et des attributs. Le coulage fut utilisé dès 1819 pour les instruments de chimie et les grandes plaques, et le calibrage, essayé dès 1821 pour assiettes et plats, accepté afin de faire face aux énormes demandes de vaisselle des palais de Louis-Philippe. Un nouveau système d'encastage en cul-de-lampe permit un gain de place considérable dans les fours à partir de 1838 et le four à deux étages de foyers, de notables économies de bois après 1842. La palette des couleurs de petit feu fut considérablement enrichie, outre la mise au point du vert de chrome de grand feu pour les fonds (1806) et de divers fonds par immersion (1826 et 1838). Il convient également de noter qu'il ouvrit trois ateliers spécialisés, l'un consacré aux montures en bronze (1819, situé dans la manufacture mais géré par un entrepreneur), un autre, inclus dans le budget de l'établissement, à la mise en œuvre de vitres peintes et de vitraux à verres colorés dans la masse (1824), et le troisième, voulu par le souverain, produisant des pièces émaillées sur métaux divers, dont les premiers essais furent entrepris dès 1838.

Brongniart n'accepta jamais d'être mis en rivalité avec les fabriques privées ; considérant que l'un des rôles de Sèvres consistait à leur fournir de bons exemples, il leur accorda généreusement le droit de surmouler ses modèles anciens ou d'utiliser ses collections de dessins ; à ses yeux, la manufacture ne pouvait justifier ses subsides que par sa supériorité et la perfection de ses produits. C'est probablement dans cette idée qu'il entreprit à plusieurs reprises des pièces monumentales (*vase de Phidias*, bureaux-secrétaires) que Sèvres seule était capable de mener à bien.

Un autre aspect de l'activité de Brongniart à Sèvres concerne les recherches qu'il y encouragea, non qu'elles fussent directement liées à la production, mais parce qu'il jugeait de son devoir d'aider l'ensemble de la céramique française et de faire de la manufacture un « conservatoire des industries céramique et vitrique ». Les expériences de Fourmy visant à l'amélioration des poteries communes n'eurent guère de répercussion pratique, non plus que les investigations sur les couvertes chinoises demandées successivement à Paul Bunel et Pierre Robert (1839) puis à Alphonse-Louis Salvetat et Jules-Joseph Ébelmen (1844). En revanche, il aida Honoré Boudon de Saint-Amand dans ses essais de faïence fine et fit mettre au point une gamme de couleurs pour la cristallerie de Plaine-de-Walsch.

Dans une même volonté didactique, il conçut dès son entrée en fonctions l'idée de réunir échantillons et productions de verres et de céramiques de tous les pays et de toutes les époques. Cet ensemble technologique, enrichi au fil des échanges, des achats et des dons, finit par constituer une riche collection, origine de l'actuel musée national de Céramique, dont Brongniart publia avec Denis-Désiré Riocreux un catalogue descriptif illustré (1845), juste après le monumental *Traité des arts céramique* (1844) résumant toutes les connaissances accumulées au long de sa riche carrière.

La Deuxième République

Brongniart avait obtenu dès 1845 la nomination au poste de directeur-adjoint d'un jeune et brillant ingénieur des Mines, Jules-Joseph Ebelmen ; ce fut donc la révolution de février 1848 qui provoqua une véritable rupture. Le conseil de perfectionnement nommé dès mars 1848 eut tout d'abord à se prononcer sur l'opportunité du maintien des manufactures en république ; les rôles de pourvoyeur de bons modèles et d'assistance technique aux fabricants ainsi que de fournisseur d'objets d'usage et de décoration pour les « Palais de la nation » avaient toujours été revendiqués par Brongniart (de fait, les livraisons aux nouveaux organismes officiels vidèrent les magasins d'une énorme quantité de pièces qui s'y étaient accumulées et les ministères de la République n'eurent aucun scrupule à se faire livrer et compléter les services entrepris pour les résidences de Louis-Philippe) ; on y ajouta simplement l'obligation de livrer au service des « Dons et secours » (loteries, prix, remerciements pour services rendus), ce qui aboutit à la multiplication des pièces à fond bleu – utile pour cacher de petits défauts – enrichies de légers ornements d'or, si nombreuses qu'elles ont entièrement faussé la perception du public.

Le conseil eut également à se prononcer sur la nouvelle orientation stylistique, d'autant plus facile à mettre en œuvre que, par souci d'économies, on mit à la retraite tous les sexagénaires, ce qui permit de faire travailler épisodiquement des décorateurs plus jeunes et sensibles à l'évolution du goût. Les principales tendances consistèrent à abandonner les fausses perspectives, à mieux adapter les décors aux formes et à limiter l'emploi des cartels à miniatures sur fonds de couleur. Plusieurs solutions alternatives furent mises au point : le style néogrec du nouveau directeur artistique, Jules Diéterle, amena la création d'une série de formes antiquisantes inspirées au moins en partie par les vases de la collection Denon (*Vases campanien, étrusque de Naples*) sur lesquels on posa des décors de même inspiration peints sur le biscuit laissé sans couverte pour mieux évoquer la matité des modèles ; Brongniart avait encouragé Ebelmen et le chimiste Alphonse-Louis Salvetat à analyser couvertes et émaux chinois et on trouve un reflet de ces travaux dans l'apparition de formes sobres (*vases Ly, Bertin*) parfois ornées de couvertes monochromes, telle une grande coupe chinoise à fond bleu mise en valeur par une riche monture en bronze ciselé. C'est également la Chine qui inspira un procédé de décor appelé à jouer un rôle prépondérant jusqu'à la fin du siècle, dit « pâte-sur-pâte » parce qu'il consistait à travailler avec de la pâte liquide – blanche ou colorée – sur la pièce dégourdie ayant reçu un fond de couleur avant de passer l'ensemble, revêtu d'une couverte transparente, au grand feu ; en jouant sur les différents degrés de translucidité de la pâte en fonction de son épaisseur, on obtenait des effets de transparence extrêmement subtils. Enfin, l'Inde et la Perse inspirèrent dès ces années quelques formes et décors.

La brève période correspondant à la fois à la Deuxième République et à la direction d'Ébelmen, mort brusquement en 1852, fut également marquée par une avancée technique : alors que le coulage avait jusqu'alors été réservé aux instruments de chimie et aux grandes plaques, il fut adopté à la fois pour des pièces très fines (*Déjeuner mince* dessiné par Jules Peyre) et pour de grands objets ornés de bas-reliefs qu'il n'était plus nécessaire de retoucher (*vase de l'Agriculture* de J. Klagmann). Toutes ces nouveautés furent exposées à Paris en 1850 puis en 1851 à Londres, lors de la première Exposition universelle, et valurent à la manufacture un très grand succès.

Vase Ly, 1850. H. 31 cm. Sèvres, MNC (inv. 4 178).
Le nom de cette forme très sobre inspirée d'originaux chinois est un hommage au R. P. Joseph Ly, qui avait envoyé à Sèvres en 1844 un rapport sur les procédés de fabrication et de décoration de la porcelaine de Chine. Il s'agit ici de l'un des premiers essais d'un nouveau procédé de décor, lui aussi inspiré d'exemples chinois, consistant à peindre avec la pâte diluée en jouant sur les différences d'épaisseur pour obtenir des degrés de translucidité variés. Le procédé dit « pâte-sur-pâte » connut un succès considérable dans toute l'Europe durant la seconde moitié du XIXe siècle.

LE SECOND EMPIRE

UN CONTEXTE TRANSFORMÉ

Une fois encore, la carrière du nouveau directeur – le savant Victor Regnault, lui aussi ingénieur des Mines – correspondit à une période historique distincte, celle du Second Empire. C'est au cours de ces années que Sèvres en vint à occuper une place tout à fait particulière dans un monde céramique en pleine mutation. La production de porcelaine, toujours concurrencée par la faïence fine, fut peu à peu concentrée dans des régions de matières premières abondantes et de main-d'œuvre bon marché par des fabriques produisant en masse au moyen de techniques industrielles : machines à vapeur pour la préparation des pâtes et la mise en mouvement des tours ; fours, combustibles et mesures pyrométriques améliorés ; chromolithographie pour les décors. Devant la laideur de la plupart des productions ainsi obtenues, la réaction fut double : d'une part on vit se multiplier des céramistes-artisans travaillant seuls ou en petits ateliers et réhabilitant les techniques et matériaux anciens – faïence et grès – qui gagnèrent un public grandissant ; d'autre part la notion d'« art industriel » se développa, donnant naissance à des musées, des écoles et des expositions destinées à améliorer le goût à la fois du public et des industriels ; les confrontations régulières que constituaient les Expositions universelles furent pour beaucoup dans le désir de chaque nation de ne se laisser distancer ni pour les techniques ni dans le domaine de la nécessaire liaison des arts et de l'industrie, même si ces impératifs pouvaient sembler contradictoires. Un autre apport de ces mêmes expositions fut la révélation progressive des civilisations non européennes, également facilitée par la multiplication des échanges due à l'amélioration des moyens de transport et des procédés de reproduction. On note ainsi le rôle joué par le Moyen-Orient, la Perse et l'Inde avec leur amour des arabesques et des compositions purement ornementales ; par la Chine dont

Vase Balustre pour torchère, 1870. H. 120 cm. Sèvres, MNS. Archives.
Cette forme fut dessinée sous le Second Empire pour recevoir d'immenses bras de lumière en bronze doré.
La « pâte changeante » a été mise au point pour paraître grise en lumière naturelle et rose en éclairage artificiel. Le décor est peint en pâte-sur-pâte en utilisant de la pâte tantôt blanche tantôt diversement colorée pour
obtenir un effet puissamment décoratif adapté à la monumentalité de l'objet.

on retint d'abord les émaux épais puis les couvertes monochromes ; et enfin par le Japon dont les mises en page souples et asymétriques et le naturalisme stylisé transformèrent profondément l'ensemble des arts décoratifs.

La manufacture de Sèvres se retrouva dès lors, et pour la première fois, dans une position tout à fait particulière : elle choisit de conserver ses techniques artisanales pour une production de grande qualité mais limitée en quantité. Alors que ses rivales historiques devaient diversifier et simplifier leurs créations pour équilibrer leurs comptes, comme Berlin et Meissen, ou disparaître faute de bénéfices, comme Vienne en 1864, Sèvres seule, régulièrement subventionnée et sans contrainte de réussite financière, put se livrer à des recherches et expériences et fabriquer régulièrement des pièces élaborées et coûteuses.

Parmi les progrès techniques ainsi rendus possibles figure la mise au point d'un nouvel encastage qui permettait de contrôler l'atmosphère dans laquelle cuisait chaque pièce et de réussir une série de nouvelles colorations des couvertes ou de la pâte (par exemple, la pâte changeante, grise à la lumière naturelle et rose en éclairage artificiel). Les émaux de demi-grand-feu de François Richard offrirent des couleurs mieux glacées puisqu'ils cuisaient à plus haute température, sans pour autant trop limiter la gamme des nuances. Le coulage sous vide rendit possible le façonnage de pièces de très grandes dimensions.

La production

Sèvres produisit alors presque uniquement pour l'empereur et les membres de son cercle, au point qu'il ne lui était pas permis de vendre sans autorisation les pièces de quelque importance. Pour le service personnel des souverains ou leurs présents, elle procéda aux livraisons traditionnelles : services de table et de déjeuner, pièces d'usage et d'ornement de toutes tailles, des petits vases de cheminées aux grands porte-torchères.

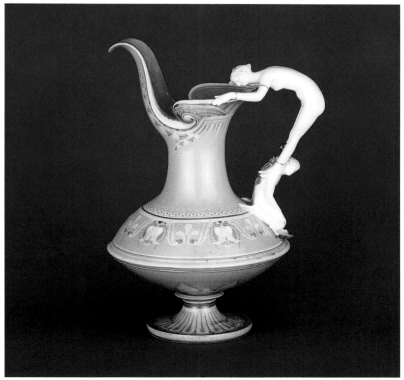

Vase Buire Nicolle, 1867. 31 cm. Sèvres, MNC (inv. 6 747).
L'influence de la Renaissance ne cessa d'évoluer au XIXe siècle : après une première phase « romantique » dont témoigne le vase dessiné par Chenavard (*cf* p. 41), privilégiant les reliefs colorés, nous voyons ici un écho de la délicate orfèvrerie intégrant des éléments sculptés. Grâce et fantaisie sont typiques des créations de Joseph Nicolle, directeur artistique de 1856 à 1871.

On trouve encore sur des formes classiques des cartels à portraits ou miniatures évoquant la vie des souverains ou de leurs glorieux ancêtres, à côté d'objets beaucoup plus novateurs. Après le style néoclassique du directeur des travaux d'art Diéterle (1848-1855), sensible surtout dans ses créations de formes, son successeur Joseph Nicolle (1856-1871) apparaît plus imprégné de délicate fantaisie aussi bien dans ses propres évocations antiques (*vase Fuseau Nicolle*) que dans ses variations sur la Renaissance (*buire Nicolle*) ou sur le naturalisme (*vase Bouton*). Dans le domaine des décors, on vit se multiplier les compositions florales utilisant des espèces nouvelles (fleurs de la passion, fritillaire...) et, surtout, des dispositions à hampes, spirales ou guirlandes beaucoup mieux adaptées aux profils des pièces ; même les figures essaient d'éviter tout effet de profondeur et de s'inscrire

Plat en faïence, 1872. D. 42 cm. Sèvres, MNC (inv. 12 990).
Le retour en faveur des céramiques anciennes à partir des années 1840 amena l'ouverture à Sèvres d'un atelier de faïences et terres vernissées qui fonctionna de1852 à 1872. En sortirent des vases, sculptures et plats d'inspiration très diverses. La composition naturaliste et décentrée de Charles Ficquenet témoigne de l'influence du japonisme alors très en vogue.

harmonieusement sur les courbes ; les ornements annexes, enfin, sont mieux proportionnés et répartis.

Une série de nouveaux ateliers fut mise en route, au moment où fermait celui de la peinture sur verre. Dès 1845, après avoir fait peindre sur porcelaine en grisaille « à l'imitation des émaux limousins », Brongniart avait installé un atelier d'émaillage sur métaux confié à Jacob Meyer-Heine. On y produisit jusqu'en 1872 à la fois de petites coupes, des objets décoratifs, des plaques similairement ornées et de grands vases d'inspiration persane ou hindoue. Un atelier de ciselure (1852-1872) fut chargé des montages rendus nécessaires par la fabrication de très grandes pièces façonnées en plusieurs sections ainsi que par le goût nouveau pour les riches montures ornementales. De l'atelier de faïences et terres vernissées (1852-1872), moteur et témoin du renouveau de l'intérêt porté à ces matériaux, sortirent des vases de jardin dont les formes s'inspiraient de prototypes versaillais du XVIIe siècle alors que les couvertes fortement colorées relevaient du goût contemporain pour les « majoliques » de la Renaissance ; d'autres, évoquant les pièces médiévales à décors d'engobes grattés ; plats et plaques de faïence peints de paysages ou de compositions inspirées par le Moyen-Orient ; enfin, de grandes figures ornementales également revêtues de vives couvertes colorées (*Enfants au cornet*, de Jean-Denis Larue).

Un même goût de la coloration se manifeste d'ailleurs dans la sculpture en porcelaine. On produisit, certes, des biscuits : bustes, figures et médaillons des membres de la famille ou du proche entourage impérial, rééditions d'œuvres du XVIIIe siècle. Mais un attrait nouveau (et éphémère) pour la statuaire émaillée fait alors son apparition, le plus souvent avec des couvertes monochromes surprenantes à nos yeux.

Brongniart semble avoir regretté dès les années 1820 l'abandon de la pâte tendre ; les recherches demandées par lui restèrent cependant sans suite jusqu'aux premiers essais d'Ebelmen, sans doute encouragé par le renouveau en Europe de l'intérêt porté aux créations du XVIIIe siècle. L'apparition de collectionneurs – et de copistes – enthousiastes du « vieux Sèvres » fut certainement pour beaucoup dans la mise au point d'une nouvelle pâte tendre sous la direction de Regnault, autant que le goût personnel de l'impératrice. On l'utilisa pour des reproductions de formes et décors anciens, encore que les couleurs de fonds aient été bien éloignées de la transparence et de l'éclat de leurs modèles ; la pâte tendre permit également des productions plus originales, en particulier la mise au point d'une gamme des émaux en relief inspirés par les prototypes chinois, qui furent alors assez appréciés en Europe pour être imités dans tous les matériaux céramiques et par les procédés les plus divers. À Sèvres, on les trouve le plus souvent en compositions décoratives d'inspiration musulmane, associés à des fonds vermiculés.

Enfin, c'est lors du Second Empire que l'on prit la décision de transférer la manufacture dans un ensemble de bâtiments nouveaux, plus spacieux et mieux adaptés, spécialement construits le long de la Seine ; ceux-ci ne purent finalement être occupés et inaugurés qu'en 1877.

1870-1890

LE RÔLE DE LA COMMISSION
DE PERFECTIONNEMENT

L'instauration de la République faillit de nouveau remettre en cause l'existence de la manufacture après la démission de Regnault en 1870 ; le Parlement menaça même de supprimer le budget de l'établissement, qui ne dut sa survie qu'à la promesse de véritables réformes. Signe des temps républicains, c'est à un homme issu du rang, le chimiste Louis Robert – devenu chef successivement de l'atelier de peinture sur verre puis des ateliers de décoration – que fut confiée la direction de l'entreprise, jusqu'à sa retraite en 1879. De même, on choisit le décorateur Alfred-Thompson Gobert comme directeur des travaux d'art en 1887 pour succéder au sculpteur Albert-Ernest Carrier-Belleuse (1875-1887), brièvement suppléé par son gendre, Joseph Chéret ; et c'est une campagne de presse qui contraignit le chimiste Charles Lauth, successeur de Louis Robert, à démissionner en 1887. Curieusement, c'est seulement pendant la très courte période entre 1887 et 1891 que la manufacture fut dirigée par un céramiste confirmé, le très célèbre Théodore Deck. Celui-ci, en fait, en tant que membre de la commission de perfectionnement mise en place dès 1871 pour définir les orientations esthétiques et techniques, avait joué un rôle important, fixant en 1875 le programme que furent chargés de mettre en œuvre Carrier-Belleuse ainsi que les chimistes en chef Salvetat (1846-1880) puis Georges Vogt (1880-1891) : création d'une porcelaine plus proche des pâtes orientales permettant des couleurs mieux glacées, recours à des émaux transparents et opaques également de type chinois, en nombre limité ; création de vases où « la belle forme, la sculpture en gravure et en haut-relief soient et forment toute la décoration » pour les orner d'émaux colorés transparents de grand feu ; recherche, enfin, du rouge de cuivre alors au centre des préoccupations du monde céramique. La commission demanda la mise en place d'une école chargée de mieux former les futurs ouvriers et décorateurs aux principes du dessin et de la composition ornementale. Voulant ouvrir la manufacture au monde artistique extérieur, elle institua un prix de Sèvres qui donna lieu surtout à des œuvres monumentales (*vase Mayeux* pour le Louvre ; *Torchère* de Louis Carrier-Belleuse).

LA PÂTE NOUVELLE

Un premier pas fut franchi dès 1875 avec la mise au point d'une pâte dite Salvetat, en hommage à son inventeur ; elle ne fut pas mise en production et il fallut attendre 1884 pour que Lauth et Vogt réussissent la pâte nouvelle si ardemment désirée ; comme elle cuisait à beaucoup plus basse température que la porcelaine dure traditionnelle (1 280 ° C au lieu de 1 410 ° C), elle permettait une gamme de couleurs mieux fondues dans la couverte plus étendue, et des effets particuliers séduisants : émaux transparents en relief et flammés, en particulier ceux à base de rouge de cuivre, ainsi que les cristallisations signalées comme de possibles défauts par Lauth et Vogt et transformées en système décoratif par la Manufacture royale de Copenhague avec un tel succès qu'elles furent ensuite produites partout en Europe. Les axes de recherche de Sèvres n'étaient pas vraiment originaux puisqu'au même moment la *Seger Porzellan* de Berlin répondait aux mêmes objectifs.

Vase Hanoï, 1883. H. 24,5 cm. Sèvres, MNC (inv. 9237).
La mise au point par Charles Lauth et Georges Vogt en 1882-1884 de la pâte nouvelle répondait à leur désir d'offrir aux décorateurs de nouvelles possibilités ; leur but principal était d'obtenir une composition plus proche de celles de la Chine, cuisant à plus basse température que la pâte dure traditionnelle, pour permettre d'élargir la gamme des couleurs capables de cuire avec la pâte. On souhaitait copier ainsi les émaux chinois épais et translucides mais également obtenir les remarquables couvertes orientales, en particulier les flammés à base de rouge de cuivre alors recherchés de tous les céramistes européens.

L'œuvre d'Albert Carrier-Belleuse

Albert Carrier-Belleuse, autre membre de la commission de perfectionnement, fut nommé directeur des travaux d'art en 1875. Il redessina une gamme complète de vases, quelques pièces de service (*déjeuner à la Chimère*) et de nouveaux types d'objets : cendriers, baguiers et autres bibelots. Ses créations relèvent de deux types : soit des formes très sobres laissant de vastes champs aux décorateurs (*vase Saïgon, seau de Pompéi*) ; ou des structures plus complexes, mais toujours équilibrées, enrichies d'éléments ornementaux dans le style néo-Renaissance qu'affectionnait le sculpteur (*buire de Blois*), ou de figures servant de supports (*vase de la Jeunesse*).

Curieusement, le domaine de la statuaire ne fut pas très riche : Carrier-Belleuse créa un surtout dit *des Chasses* composé de trois groupes, et quelques figures (*République*) ; il remania et compléta une série de bustes de l'époque révolutionnaire et se contenta de rééditer nombre de modèles du XVIIIᵉ siècle.

Les décors se diversifièrent. Certes, on retrouve les habituels

Vase Saïgon, 1880. H. 19,5 cm. Sèvres, MNC (inv. 8984).
Albert Carrier-Belleuse, directeur des travaux d'art de 1875 à 1887, dessina une suite de formes nouvelles dont la plupart offraient de vastes surfaces lisses aux décorateurs. Il fit appel, entre autres, à l'un de ses élèves les plus prometteurs, Auguste Rodin, qui mit au point un procédé nouveau consistant à graver un décor dans la pâte avant la cuisson pour le reprendre en pâte sur l'émail. L'hostilité du directeur de Sèvres, Charles Lauth, dégoûta rapidement Rodin de ces essais complexes dont témoigne ce vase évoquant « les Éléments ».

sujets de figures ou de paysages peints en miniature dans des cartels et les décors en pâte-sur-pâte devenus courants. Mais on note également de sobres décors en bleu sous couverte ; d'autres peints en camaïeu ou gravés sous des couvertes monochromes ou transparentes (c'est dans cette lignée que se situent les recherches d'Auguste Rodin) ; ou exécutés en bas-relief de biscuit blanc sur fond bleu pâle ; puis de plus en plus de compositions naturalistes témoignant d'une profonde influence de l'art décoratif japonais.

LA DIRECTION DE THÉODORE DECK

L a brève direction de Théodore Deck enrichit la gamme des possibilités de la manufacture grâce à la mise au point d'une Grosse Porcelaine plus malléable afin de permettre un travail direct en gravure ou bas-relief (vases de J. A. Dalou) et d'une nouvelle pâte tendre dite siliceuse moins cassante, plus blanche et plus facile à travailler et à décorer.

Cette production fut utilisée à la fois pour fournir les ministères, ambassades ou autres lieux officiels, les cadeaux diplomatiques, le service des dons et secours et la vente, axes désormais traditionnels. Sèvres commença également vers cette époque à offrir des collections technologiques (échantillons de matières premières et pièces à divers stades d'élaboration) à des écoles et à envoyer des ensembles plus ou moins importants à d'innombrables musées français et étrangers.

On peut suivre l'évolution du style à travers catalogues et comptes rendus des principales présentations successives (Expositions universelles, Paris, 1878 et 1889 ; Exposition de l'Union centrale des arts décoratifs, Paris, 1884). Malheureusement, Sèvres choisit toujours – en principe pour mettre en valeur la variété de ses créations – de montrer beaucoup d'objets, au risque de lasser et de noyer les œuvres novatrices ; d'autant que l'on eut tendance à intégrer dans les présentations aussi bien des pièces anciennes jugées particulièrement spectaculaires et des tours de force inutiles que de véritables innovations. C'est probablement ce qui explique le relatif insuccès de Sèvres auprès des critiques en 1878 et 1889 ; les reproches furent d'autant plus vifs à cette dernière occasion que les possibilités offertes par la Pâte Nouvelle avaient déjà été révélées en 1884 alors que les inflexions apportées par Théodore Deck n'avaient guère eu le temps d'être mises à exécution.

Vase Salembier, 1887. H. 45,5 cm. Sèvres, MNS. Archives.
Bien que Théodore Deck n'ait dirigé Sèvres que très brièvement (1887-1891), dans les dernières années de sa vie, il avait – en tant que membre du conseil de perfectionnement – joué un rôle important dans l'évolution stylistique de la manufacture dès le début des années 1870. En 1873, il avait préconisé de graver profondément des décors purement ornementaux sous de légères couvertes colorées. Il s'agit encore d'un procédé ornemental dérivé de modèles chinois, même si leur interprétation est ici bien européenne.

L'ART NOUVEAU

LA RÉORGANISATION ADMINISTRATIVE

C'est probablement en partie à cause de ce mauvais accueil que la manufacture faillit être de nouveau supprimée en 1890-1891. Elle n'obtint sa survie qu'au prix d'une réforme administrative complète : au lieu de fonctionnaires assurés d'une carrière, elle ne fit désormais travailler que des artistes et ouvriers extérieurs ou engagés pour des périodes limitées et renouvelables. L'école ne fut plus consacrée avant tout à la formation du personnel de l'établissement mais chargée de former les ouvriers et cadres nécessaires à l'industrie céramique en pleine expansion. L'administration eut dès lors à coordonner l'activité de deux grandes directions, artistique et technique, et Sèvres eut à sa tête à partir de 1891 un homme de carrière administrative en la personne d'Émile Baumgart qui, après avoir suivi les affaires relatives à la manufacture dans les bureaux du ministère, en était devenu le sous-directeur, en même temps que conservateur du musée céramique.

Les deux premiers directeurs artistiques de ce nouveau régime, Jules Coutan (1891-1895) et Jules-Clément Chaplain (1895-1897), se révélèrent tous deux trop pris par leurs occupations en dehors de Sèvres pour s'y consacrer suffisamment. C'est sans doute ce qui explique le style hésitant des créations de cette période : les formes, principalement dessinées par les modeleurs Alphonse Sandoz et Henri-Ernest Brécy, allaient des profils sobres laissant de vastes zones lisses aux décorateurs (*vases de Florival, de Jussieu*) ou aux effets de coulures des flammés (*vases Tcho-San* et *Oul-San*, mais aussi *Cruche picarde* et *Gargoulette*) jusqu'à des variations parfois surprenantes sur le goût de l'époque pour un baroque réinterprété (*baguier Meissonnier, panier Rocaille, coffret Pompadour*). On peut cependant déjà noter les premières manifestations des éléments naturalistes modelés qui allaient prendre par la suite une place prépondérante (*bougeoir aux Papillons*).

LE RÔLE D'ALEXANDRE SANDIER

La nomination d'Alexandre Sandier comme directeur des travaux d'art en 1897 accéléra le changement de style et permit de mettre en œuvre le programme fixé par Baumgart en vue de l'Exposition universelle de 1900. Tout d'abord, Sandier et ses collaborateurs dessinèrent une série complète de formes nouvelles, toutes d'une seule venue. Les pièces formées d'éléments travaillés séparément et maintenus ensemble par des montages disparurent, alors que subsistaient des montures ornementales pour les pieds, cols et prises des vases. Pour ceux-ci, on retrouve la même dichotomie que dans la période précédente : pièces lisses aux profils sinueux, parfois animés de côtes ou d'arêtes régulières, offrant de vastes champs aux décorateurs et variant des petites pièces ornementales aux grands éléments d'apparat ; et d'autres avec des modelages de types divers : bas-reliefs (*gourde Levillain*), reliefs moyens (*vases Chéret aux masques* ou *aux grenouilles*) ou très saillants (*jardinière Debut*) ; formes directement inspirées d'éléments naturels végétaux (*vase Aubergine*) ou animaux (*Coquillage*) ou bases susceptibles d'être soit décorées en peinture soit ornées de décors modelés (*vase de Montfort*). Les services de table furent également renouvelés, en particulier avec la création du service dit *Pimprenelle* dont l'assiette lobée était dérivée d'un prototype dessiné par Duplessis alors que les pièces hautes étaient entièrement nouvelles ; il en existe des variantes ornées (*service Marguerite*). On vit également apparaître une série de déjeuners et de tasses isolées juxtaposant, une fois encore, des formes lisses (*déjeuner Salon*) à d'autres enrichies de reliefs naturalistes (*déjeuner Fenouil*). Petites boîtes, bougeoirs, vide-poches et autres bibelots vinrent compléter la gamme des objets produits.

Les décors furent, eux aussi, complètement transformés sous la direction de Sandier : figures, paysages et ornements annexes disparurent presque complètement au profit de compositions globales à base de végétaux ou d'animaux stylisés et rigoureusement ordonnancés, qui pouvaient être disposés en sections régulièrement répétées autour des galbes ou jouer avec ceux-ci en s'enroulant le long des formes. Les prémices de cet « Art nouveau » se rencontrent en fait dès le Second Empire et l'on en retrouve les principes de base dans d'autres fabriques ; mais Sèvres se distingua lors de l'Exposition universelle de 1900 en l'adoptant pour la totalité de sa production et en ne présentant que des pièces nouvelles. Les projets de décors étaient souvent achetés à des artistes étrangers à la manufacture qui travaillaient pour tous les arts décoratifs alors en pleine floraison ; ils étaient exécutés par les décorateurs de l'établissement, quand ceux-ci ne travaillaient pas sur leurs propres créations.

Le domaine de la sculpture fut également très actif ; il avait pris dès 1891 une orientation nouvelle : au lieu de continuer à reproduire ses modèles du XVIIIe siècle, Sèvres se mit à éditer les œuvres achetées par l'État aux Salons, soit en biscuit, seul ou enrichi de zones à cristallisations, soit en grès. La manufacture ne renonça pas pour autant à des commandes spécifiques. C'est ainsi qu'elle pré-

Vase d'Auxerre à pans, 1908. H. 106 cm. Sèvres, MNS. Archives.
Alexandre Sandier, directeur des travaux d'art de 1897 à 1919, fit remporter à la manufacture un immense succès lors de l'Exposition universelle de 1900 à Paris en redessinant toute une série de formes sans artifice de montage, offrant de larges surfaces aux décorateurs. Les compositions florales stylisées, répétées autour des vases ou jouant avec leurs profils, furent alors presque seules utilisées.

Trois Figures, 1900 (modèle). H. 42 et 32 cm. Sèvres, MNC (inv. 17 263/2, 17 266/2, 17 260/2).
Dans le domaine de la sculpture, la manufacture se contenta le plus souvent, à partir des années 1890, de reproduire en biscuit les modèles achetés par l'État aux Salons, la petite sculpture d'ornement étant devenue fort à la mode. Sèvres fit un effort spécial pour l'Exposition universelle de 1900 : elle commanda, entre autres, une série de quinze statuettes de danseuses et musiciennes formant un surtout de table dit «Le Jeu de l'écharpe» au sculpteur Agathon Léonard. Des socles de deux hauteurs permettaient une présentation plus animée.

senta en 1900 le gracieux ensemble des quinze figures de danseuses et musiciennes du surtout dit *Le Jeu de l'écharpe* d'Agathon Léonard ainsi qu'une suite de groupes mythologiques fort ambitieux d'Emmanuel Frémiet. Dans tous les cas, Sèvres n'achetait que le droit de reproduction en céramique, laissant les auteurs libres en ce qui concernait le bronze et autres matériaux.

Outre la porcelaine dure traditionnelle pour laquelle Sandier donna la préférence aux couleurs de grand feu sur ou sous couverte dans une gamme relativement limitée de teintes douces, et la porcelaine nouvelle utilisée avant tout pour les effets décoratifs parfois sophistiqués des cristallisés et flambés ainsi que pour les biscuits, Sèvres présenta en 1900 une pâte tendre d'une nouvelle formule qui servit surtout pour de délicates pièces ornementales. L'une des grandes innovations fut la mise au point d'un grès cérame destiné à l'architecture et aux décors de plein air, idée loin d'être nouvelle puisque les premiers grands succès céramiques en ce domaine remontent à l'Exposition de 1878. Dans un premier temps, on avait conçu le projet d'un pavillon complet ; faute de moyens, on ne put présenter en 1900 que la façade, aujourd'hui remontée dans le square de l'église Saint-Germain-des-Prés ; une cheminée et une fontaine monumentales devaient prouver la variété des applications possibles du nouveau matériau, de même que la grande fresque de *L'Histoire de l'art* d'après Joseph Blanc, venue orner la façade du Grand Palais.

La manufacture remporta en 1900 un très vif succès, les critiques reconnaissant l'immense effort de renouvellement accompli et la qualité des résultats obtenus. Paradoxalement, ce bon accueil fut plutôt néfaste dans la mesure où il eut tendance à enfermer Sèvres dans un style malgré tout limité ; en dépit d'incontestables réussites, comme les vases conçus par Hector Guimard en 1902-1903, les années 1900 à 1909 ne virent naître que des variations sur les thèmes élaborés entre 1897 et 1900, aussi bien pour les formes que pour les décors.

La situation devint plus difficile après la nomination en 1909 d'Émile Bourgeois au poste d'administrateur. Celui-ci connaissait bien l'établissement et son histoire puisqu'il avait publié le catalogue de ses archives ainsi qu'un ouvrage sur les biscuits du XVIIIe siècle. C'est probablement à son impulsion que l'on doit la reprise des rééditions de modèles anciens, y compris les plus ambitieux (*miroir de la Toilette de la comtesse du Nord*), et l'on imagine que ses rapports avec Sandier durent être d'autant plus difficiles que celui-ci essayait de s'adapter au changement du goût, alors général, en donnant la préférence à des formes plus raides et des couleurs plus soutenues.

Durant la Première Guerre mondiale, Sèvres dut consacrer toute son activité à la production de récipients pour les poudreries nationales, le grès s'étant révélé capable de résister aux acides mis en œuvre. Une tourie conservée montre que l'on essayait de profiter de cette production forcée pour maîtriser certaines couvertes.

L'ENTRE-DEUX-GUERRES

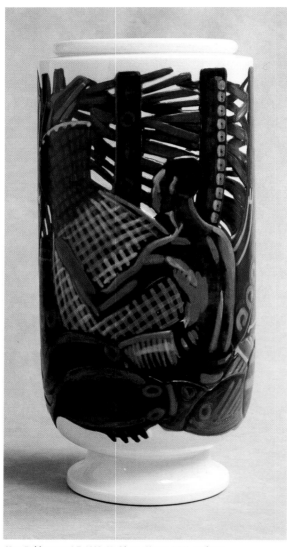

Vase Ruhlmann n° 7, 1932. H. 54 cm. Sèvres, MNS. Archives.
Pour l'une des formes d'une simplicité géométrique et rigoureuse conçue par Émile-Jacques Ruhlmann, Mathurin Méheut a dessiné un décor dépouillé, marqué par l'Exposition coloniale. En utilisant des couvertes colorées normalement destinées aux grès, aux couleurs mates et sombres, l'artiste a délibérément tourné le dos à la délicatesse traditionnellement associée à la porcelaine, au profit d'un original effet de puissance et de massivité.

Il fallut attendre 1920 et la nomination de Georges Lechevallier-Chevignard au poste d'administrateur pour que la manufacture retrouve une ligne d'action définie et cohérente. Lui aussi connaissait bien l'établissement : il en était secrétaire administratif depuis 1903 et avait consacré à son histoire un ouvrage détaillé qui fait encore autorité. Dans un premier temps, il s'attacha au complet renouvellement du style de la production pour l'adapter à l'évolution générale. Il fit dessiner, entre autres par Félix Aubert, Henri Rapin et Émile-Jacques Ruhlmann, de nouvelles séries de formes plus raides et géométriques. Les vases furent très nombreux, de toutes tailles, alors qu'un seul déjeuner à thé et café fut conçu par G. L. Claude. La production comporta encore nombre de petits objets très divers : bijoux, jeux, pipes, boutons de manchettes, flacons à parfum, pendulettes. La grande nouveauté fut l'exploitation de la translucidité de la porcelaine par toutes sortes de systèmes d'éclairage : veilleuses, appliques, abat-jour, lanternes, plafonniers, vases éclairants et même une fontaine lumineuse et un surtout de table dont les éléments s'illuminaient de l'intérieur. Ces formes nouvelles reçurent essentiellement deux types de décors : des ornements géométriques gravés qui pouvaient être laissés en blanc pour jouer uniquement sur les jeux d'ombres ou rehaussés de couleurs ; ou des décors peints, compositions ornementales aux lignes raides traitées en couleurs vives et souvent sombres. On retrouvait un même amour des nuances fortes dans la statuaire : tout en continuant d'éditer de nombreux biscuits et grès, Sèvres adopta au cours de cette période le principe des sculptures émaillées et colorées qui n'avaient cessé de tenir le premier rang dans toutes les manufactures hors de France. Faute de moyens suffisants pour acheter des modèles, la manufacture sollicitait des artistes le droit de reproduire leurs œuvres en céramique en échange de droits d'auteurs. Décors et formes, en revanche, durent toujours être commandés spécifiquement soit à des artistes de l'établissement soit parmi les nombreux protagonistes de ce nouvel âge d'or des arts décoratifs. Sèvres resta cependant isolée face aussi bien aux céramistes d'art, qui jouissaient alors d'un vaste public d'amateurs, qu'aux fabriques industrielles, d'autant qu'elle se tint à l'écart des réflexions nouvelles sur le fonctionnalisme et la nécessaire démocratisation des productions.

L'Exposition internationale des arts décoratifs modernes de 1925 valut un grand succès à la manufacture qui avait choisi de présenter ses créations *in situ* dans deux petits pavillons reliés par un jardin, plutôt qu'en les accumulant dans des vitrines ; ceci lui permit de mettre en scène l'immense variété de ses œuvres depuis les flacons de la salle de bains conçue par Éric Bagge aux grands panneaux muraux en matières diverses, de la faïence à la porcelaine tendre.

Grâce à ce succès, Sèvres put obtenir – par décret du 1er octobre 1926 – l'autonomie financière et la personnalité

Vase de Beauvais, 1925-1927. H. 200 cm. Sèvres, MNS. Archives.
Les deux premiers exemplaires de ce vase, qui comportait à l'origine un collet évasé à la partie supérieure, ornaient l'un des pavillons construits pour la manufacture lors de l'Exposition universelle des arts décoratifs en 1925. En utilisant toutes les nuances du bleu de cobalt sous couverte pour évoquer « les quatre parties du monde », Guy Loë a repris un procédé ancien, alors que la disposition générale, la raideur des étoffes et des guirlandes sont bien caractéristiques du style Arts déco.

civile qu'elle souhaitait depuis longtemps pour échapper aux pesanteurs administratives. Par un nouveau décret du 28 septembre 1928, l'administrateur, déjà assisté par un conseil d'administration, se vit seconder dans ses choix par de nouveaux comités artistique et technique. Il est regrettable que cette initiative ait eu lieu juste au moment où une grave crise financière vint frapper les industries de luxe, ce qui empêche d'apprécier ses éventuels avantages. En fait, faute de trouver des débouchés suffisants – malgré ses efforts pour multiplier ses points de vente et ses participations à des manifestations commerciales – Sèvres dut mendier des aides étatiques sous forme d'achats et de commandes, en échange desquels elle eut de nouveau à subir des contrôles paralysants et se vit imposer des décisions sociales que son budget ne lui permettait guère d'assumer. En 1933, une charge financière lui fut ôtée lorsque la collection commencée par Brongniart, et qui n'avait jamais cessé de s'enrichir, fut logiquement réintégrée au sein des musées nationaux.

Pour essayer de toucher une clientèle plus large et moins fortunée, on ouvrit en 1921 un atelier de faïence confié à Maurice Gensoli puis à Louis Delachenal, qui créèrent des formes sobres souvent revêtues de couvertes monochromes ou de décors très simples. En 1931, Delachenal mit au point un « grès fin » ou « grès tendre », plus robuste, utilisé pour de nombreuses sculptures ; puis, en 1937, un grès chamotté qui permit à la fois la réalisation de grands panneaux et le travail direct des artistes.

Dans le même but, Sèvres se lança dans ce que Meissen et Berlin pratiquaient depuis près d'un siècle : les porcelaines techniques ; en l'occurrence tubes, chandelles filtrantes et plaques électrolytiques, entre autres pour les industriels de l'azote soucieux de ne plus dépendre uniquement de fournisseurs allemands.

Cette recherche de commandes aboutit heureusement à des réalisations plus artistiques et ambitieuses, par exemple les grands panneaux décoratifs destinés à des stations du métropolitain, au paquebot *Normandie* ou au ministère des Postes. Il est d'ailleurs remarquable que la manufacture n'ait, en dépit de ses réelles difficultés, jamais renoncé à sa politique traditionnelle de production artisanale de grande qualité ouverte sur la création contemporaine, comme le démontra avec éclat sa participation à l'Exposition internationale des arts et techniques de 1937 dans le cadre du pavillon commun de la céramique et de la verrerie.

Une même volonté de renouvellement et d'ouverture en dépit des problèmes économiques est à l'origine des nombreux stages organisés entre 1927 et 1937 pour des artistes français (Jacques Lenoble, Mathurin Méheut, Paul Beyer) ou étrangers (Nadia Kovacs, Tyra Lundgren, Josef Guardiola ou Lucio Fontana) appelés à créer, en usant des matériaux et connaissances techniques de Sèvres, des œuvres originales qui étaient ensuite commercialisées avec partage du prix de vente.

Entre 1925 et 1939, quelques formes de vases furent conçues par des membres du personnel (Anne-Marie Fontaine) ou des artistes extérieurs (Maurice Prou, Jean Beaumont, par exemple). On y retrouve des lignes géométriques, mais sur des volumes souvent plus complexes. Dans le domaine de la table, l'ensemble le plus important fut le service commandé par David Weill, aux formes dessinées par Maurice Daurat avec des décors d'Anne-Marie Fontaine et de Mathurin Méheut.

Les décors évoluèrent et on vit peu à peu réapparaître les figures humaines et animales, à côté de compositions ornementales tendant vers une simplification non toujours dénuée de lourdeur.

Au cours de la Seconde Guerre mondiale, les ventes cessèrent presque totalement et la manufacture travailla surtout pour le service du maréchal Pétain et celui des occupants allemands, ce qui lui permit de conserver sur place une partie de son personnel. Une loi du 11 février 1941 mit officiellement fin au régime d'autonomie, rattachant la manufacture au Mobilier national, jusqu'à ce qu'elle réintègre en 1943 le ministère de l'Instruction publique et des Beaux-Arts. C'est également en 1941 que fut fondée l'École nationale supérieure de céramique, désormais distincte de l'école de formation de l'établissement, de même que les laboratoires de l'Institut national de céramique, détachés de celui de Sèvres.

1945-1976

Après avoir connu entre 1939 et 1947 une rapide succession de directeurs dont aucun n'eut le temps d'entreprendre d'action suivie, la manufacture fut confiée entre 1947 et 1963 au sculpteur Léon-Georges Baudry. À côté de nombreuses rééditions de décors anciens rendues possibles par la richesse des archives, et des pièces simples décorées de légers ornements ou jeux de fonds en or, ou de couvertes sophistiquées, écho des recherches de nombreux céramistes d'art, la manufacture continua son œuvre de création ; de nouvelles formes de vases furent dessinées par Émile Decœur, Jean Mayodon ou Alain Gauvenet, alors que faisaient leur apparition les assiettes à courbe continue du *service Diane*. Les décors furent conçus essentiellement par des artistes maison, tels Marcel Prunier, Pierre-Auguste Gaucher, Roger Sivault ou Mahiedine Boutaleb, entre autres, encore que l'on puisse noter les classiques frises en dorure de Raymond Subes et l'apport de plusieurs coopérants extérieurs ; l'abstraction alors en plein essor manifesta son influence d'autant plus facile-

Vase Decœur n° 4, 1945. H. 48,5 cm. Sèvres, MNS. Archives.
Le grand céramiste Émile Decœur fut successivement, à Sèvres, chargé de mission pour la création des formes (1939-1942) puis conseiller artistique (1942-1948). Le léger décor linéaire d'inspiration orientale qui met en valeur la subtilité du fond coloré est dû au décorateur Pierre-Auguste Gaucher.

ment qu'elle rejoignait les compositions ornementales pratiquées depuis longtemps, et il n'est pas toujours aisé de déterminer dans quelle catégorie il convient de classer les projets de Jacques Despierre ou les essais de Jean Picart Le Doux et Léon Gischia.

Le domaine de la sculpture fut le plus riche en nouveautés et on y retrouve la même évolution d'un style fortement imprégné de tradition (surtouts d'Henri-Albert Lagriffoul et de Marcel Orlandini, 1950 ; bestiaire de Marcel Derny) vers des recherches plus abstraites (*surtout des Éléments*, René Collamarini, 1958) cependant que la veine presque populaire de Maurice Savin et la fantaisie de Robert Couturier introduisaient des accents originaux.

La création du ministère de la Culture correspondit au départ de Baudry. André Malraux fit alors appel à Serge Gauthier, chargé de rapprocher plus vigoureusement la manufacture de l'art contemporain. Tout en reconnaissant que la production d'objets traditionnels constituait un excellent exercice technique pour les membres du personnel et assurait une base commerciale solide

Coupe Guitet, 1970. H. 21 cm. Sèvres, MNS. Archives.
James Guitet a gravé lui-même les planches utilisées pour le décor en dorure de cette coupe, l'une des rares formes qu'il ait créées pour la manufacture. Il a su renouveler le procédé traditionnel associant la préciosité de l'or à l'éclat de la porcelaine dans des créations élégantes où l'abstraction se révèle à la fois puissante et décorative.

aussi bien par les attributions officielles que par les ventes à un public sans cesse croissant, il sut convaincre ses amis artistes de venir s'affronter à des matières nouvelles, et varier les créations, en exploitant au mieux les talents et personnalités de chacun. Les décors en or furent revivifiés par les compositions originales de graveurs et dessinateurs (James Guitet, Roger Vieillard, Marcel Fiorini, Georges Mathieu) ; de nombreux peintres explorèrent les possibilités de la gamme colorée dans des compositions abstraites polychromes (Alexandre Calder, Serge Poliakoff, Mario Prassinos, Pierre Alechinsky) ou monochromes (Zao Wou-Ki, Alicia Penalba, Michel Seuphor, Émile Gillioli), exécutées à Sèvres à partir de maquettes peintes à l'huile, à la gouache ou à l'aquarelle ou même directement sous formes de prototypes en couleurs céramiques (Joe Downing, auquel on doit également une série de plaquettes autographes) ; le biscuit fut également renouvelé par les jeux de reliefs sur des panses de vases (Hans Bischoffausen) ou sur des plaques et disques (Arthur-Luis Piza), ou les sculptures-animaux de François-Xavier Lalanne. L'exploitation

Assiette plate Diane, 1968. D. 26 cm. Sèvres, MNS. Archives.
La forme de l'*assiette Diane* à courbe continue, créée dans les années 1950, s'est révélée particulièrement bien adaptée aux compositions des artistes appelés par Serge Gauthier à collaborer avec Sèvres. Les angles de la construction polychrome proposée par Serge Poliakoff jouent avec la rotondité de la surface.

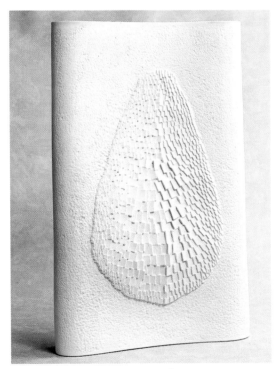

Vase Luis, 1975. H. 58 cm. Sèvres, MNS. Archives.
Le graveur Arthur-Luis Piza a su transposer dans le biscuit les effets de reliefs jouant avec les ombres qui caractérisent ses œuvres sur papier. Outre des disques, bas-reliefs et cendriers, il a conçu pour Sèvres deux vases aux proportions et profils originaux.

Nénuphar, 1976. L. 33,3 cm. Sèvres, MNS. Archives.
Cette fleur de nénuphar en biscuit posée parmi des feuilles de cuivre patiné est l'un des éléments de côté d'un surtout de table conçu par François-Xavier Lalanne ; le morceau central représente un canard en biscuit sur le même feuillage. L'opposition entre la blancheur de la porcelaine et les douces tonalités des patines ajoute à la poésie naturaliste.

de la translucidité donna naissance au *Photophore* de Fiorini ; la pendule de Marc-Antoine Louttre et le service à café alliant des formes blanches émaillées à de délicates montures en argent conçues par Jean Filhos témoignent d'un souci de diversification. Plusieurs de ces créateurs se révélèrent capables de concevoir aussi bien des formes que des décors, comme le démontrent la *Coupe* de Guitet, le *Galet musical* de Vieillard ou la série des vases de Jean Arp. Le plus extraordinaire par la variété de ses prestations fut le sculpteur Étienne Hajdu : outre les pièces ornées de reliefs parfois en creux évoquant ses estampilles sur papier, on lui doit les formes de plusieurs vases, d'une jardinière et d'une soupière enrichie d'éléments en métal, des décors autographes sur les pièces d'un service de table commandé par l'Élysée ainsi que sur deux vases monumentaux et la mise au point d'un nouveau procédé de décor consistant à poser un fond bleu par insufflation en ménageant des réserves blanches par un système de caches.

Jean Mathieu continua de 1976 à 1983 l'œuvre entreprise, jusque dans la politique d'expositions à l'étranger destinées à montrer la vitalité de l'entreprise. Il maintint une même variété avec des décors peints polychromes (Jean Dewasne, Jean-Michel Meurice) ou monochromes (Geneviève Asse, Ung-No-Lee), ou les sculptures jouant sur les contrastes entre le bleu sombre de zones émaillées et le blanc mat du biscuit (*Dormeur* de Georges Jeanclos, *surtout des Ruines d'Égypte* d'Anne et Patrick Poirier). Il sollicita la collaboration du céramiste Louis Gosselin, auteur d'une coupe et de plusieurs boîtes à reliefs émaillés. L'un des buts de « l'atelier expérimental de recherche et de création » créé par le ministère en 1983 fut précisément de renforcer cette collaboration entre la manufacture et les gens du métier, l'autre étant d'ouvrir la maison à l'art le plus contemporain. Une manière nouvelle de mettre en œuvre l'une des politiques les plus constantes de la bicentenaire maison.

La manufacture répond donc aujourd'hui à son double objectif traditionnel : collaborer avec des artistes contemporains chargés de renouveler sans cesse notre approche et notre perception d'une

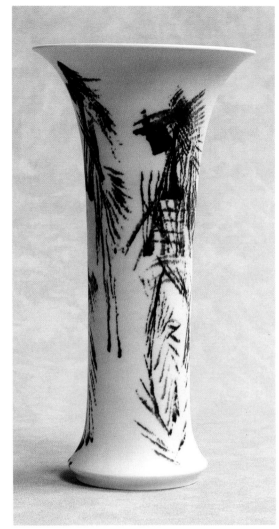

Vase Cornet, 1968. H. 31,5 cm. Sèvres, MNS. Archives.
La collaboration du sculpteur Étienne Hajdu avec Sèvres a été particulièrement fructueuse et multiforme : l'artiste y a créé des formes, souvent enrichies d'éléments métalliques ; il y a peint lui-même nombre de pièces en couleur de grand feu (comme ce petit cornet) et a mis au point une variante nouvelle d'un procédé ancien consistant à poser une couleur de fond par insufflation, en réservant un décor au moyen de caches.

matière particulière, riche de tant de possibilités ; et, trouvant un juste équilibre entre l'adoption des innovations techniques indispensables pour améliorer sa production et son choix délibéré et unique de maintenir et transmettre les métiers artisanaux hérités du passé, assurer une production de très grande qualité technique et artistique.

La manufacture de Sèvres

Nicole Blondel

La production et les techniques
Les bâtiments

LA PRODUCTION ET LES TECHNIQUES DE LA MANUFACTURE DE SÈVRES

Depuis la création de la manufacture de Sèvres, la matière sans égale de la porcelaine est utilisée pour exécuter des objets divers dont elle magnifie les volumes et les profils, met en valeur leurs lumières comme leurs ombres et illumine les décors.

Cette entreprise placée aujourd'hui sous la tutelle du ministère de la Culture se voue à la création tout en respectant les traditions qui font sa renommée et répondent à sa vocation patrimoniale.

Trois productions sont actuellement exécutées à la manufacture ; l'une d'elles est inscrite dans la modernité la plus affirmée et fait souvent appel aux artistes les plus réputés, Pierre Alechinsky, Pierre Buraglio, Jim Caswell, Olivier Debré, Richard Peduzzi, Borek Sipek, Ettore Sottsass...

L'autre production est une adaptation modeste des formes et décors du XIXᵉ siècle, ceux des vases du début

Vase *Lucrèce* d'Ettore Sottsass, 1994.

du siècle, comme le *vase de Clermont*, celui *de Chaumont* de 1900 ou comme les vases *Decœur* au milieu du XXᵉ siècle. Cette production pourrait être qualifiée de standardisée.

Quant à la dernière production, elle réalise à l'identique ou presque des objets anciens pour fournir l'Élysée et autres résidences présidentielles, assemblées parlementaires, hôtels ministériels, ambassades à l'étranger, en complétant ou en

réassortissant les services officiels ; elle répond aussi à la demande d'un public épris des bas-reliefs, des statuettes ou des pâtes tendres conçus au XVIIIe siècle, poussé par le goût romantique du passé et par l'envie de posséder des objets d'une perfection inouïe.

Ceci implique une grande variété d'objets qui vont du plus

Dorure du confiturier du *Service égyptien*.

petit, le médaillon de quelques centimètres de diamètre, au plus grand, tel ce luminaire de plusieurs mètres de hauteur de S. Dubuisson, sans oublier la vaste typologie des objets de table, assiettes, rafraîchissoirs, tasses, la variété infinie des sculptures en biscuit, une des spécialités de la manufacture et, depuis peu, les plaques destinées au mobilier. Donc, des objets plats, des reliefs, des objets circulaires, d'autres moins réguliers. Et aussi, des tirages limités, des séries plus importantes. Les enjeux, certes, sont contradictoires : inventer des objets contemporains, fournir au public des produits « éternels », plus ou moins somptueux.

Qualifiée poétiquement d'or blanc, cette production offre en effet bien des propriétés physiques que l'on attribue traditionnellement à ce métal précieux et d'autres encore, utiles ou délectables dont l'éclat, la pureté, la translucidité laiteuse, la dureté, l'imperméabilité aux liquides, la résistance aux attaques physiques...

C'est bien la porcelaine, matériau de base de ces objets de prestige qui rassemble ces qualités inestimables. Découverte, après deux siècles de recherches, dans les premières années du XVIIIe siècle, elle crée la célébrité de la manufacture de Sèvres.

Sa pâte est blanche, fine, translucide. Une argile exceptionnelle est la cause de cette couleur immaculée : le kaolin, argile primaire,

Sortie du four de biscuit.

résultat de la décomposition des roches, mais qui est restée sur place et n'a pas été mélangée aux impuretés du sol. Cette argile qui devient blanche à la cuisson constitue l'ossature réfractaire. Cependant elle est réfractaire et peu plastique ; il convient donc de la mélanger avec d'autres minéraux, le quartz par exemple, qui joue le rôle de dégraissant. Un troisième minéral, le feldspath, abaisse le point de fusion du mélange et procure la translucidité. Pour acquérir ses caractéristiques techniques, vitrification, solidité, le mélange doit être porté à une température élevée.

Vase Œuf en bleu de cobalt garni d'anses en bronze doré. Le décor original, cartel peint entouré de feuillage en or, date de 1875 environ. La forme est due à l'architecte Alexandre Théodore Brongniart, 1801.

Sur cette texture vitrifiée à cœur peuvent s'harmoniser les jeux de la couverte, d'une belle transparence et bien glacée « en liaison intime et presque continue » avec le tesson, ceux des couleurs vitrifiées en fonds, par grandes surfaces ou en motifs, et ceux de l'or en plages ou plus discrètement en filets ou ornements.

La couverte, glaçure transparente, verre domestiqué par la céramique, est composée notamment de feldspath et de quartz mêlés. Elle avive la couleur de la pâte ou sert de révélateur aux autres décors. La porcelaine cuite peut ne pas recevoir de couverte ; sa finesse l'autorise. Elle est alors désignée sous le terme quelque peu impropre de biscuit. Cela explique le nom de biscuit donné aux groupes, statuettes ou bustes réalisés en porcelaine sans couverte.

Diverses peintures vitrifiables, de teintes variées pour le décor, sont constituées de la couleur elle-même, que procurent les oxydes métalliques (de chrome, fer, manganèse, cobalt, antimoine, cuivre, fer), et d'un fondant, qui véhicule le principe coloré et autorise à le fixer par la chaleur sur la pâte ou la couverte. Le mélange de ces oxydes avec des fondants, éléments vitrifiants appropriés, est délicat à faire ; doser la température de cuisson plus ou moins haute que nécessitent les couleurs tendres ou celles de grand feu l'est plus encore.

Plusieurs métaux sont également utilisés dans la décoration de la porcelaine, l'or, plus rarement le platine et l'argent. Ils sont employés sous forme de poudre et mélangés également

Vases en porcelaine nouvelle.

à un verre, le fondant, pour adhérer au tesson.

La manufacture de Sèvres importe de l'étranger une partie du kaolin et le feldspath ; le quartz est d'origine française.

Elle fabrique quatre pâtes utilisées en fonction des pièces à exécuter : la pâte dure (PD), riche en kaolin et relativement réfractaire, pour la fabrication des pièces de service de table ; elle cuit à 1 400 °C en atmosphère réductrice. La pâte nouvelle (PN), siliceuse, qui sert pour les « biscuits » mais aussi à produire des objets qui doivent être ornés de couleurs vives ; elle cuit vers 1 280 °C en atmosphère oxydante. La pâte tendre (PT) est utilisée pour la réédition des pièces anciennes mais peut être exploitée pour des objets contemporains ; enfin la pâte Antoine d'Albis (PAA), d'une belle couleur blanche, qui cuit vers 1 400 °C. Cette diversité s'explique par les propriétés requises dans les diverses mises en forme : plasticité, résistance au feu, beauté de la pâte cuite...

Quelles sont les procédures de cet artisanat d'art dans cet établissement connu pour son savoir-faire ? Comment la manufacture concilie-t-elle l'aspect de production en série, les essais, la reproduction, tout en préservant la qualité ?

Modelage des éléments d'un biscuit.

Aujourd'hui encore, la mécanisation, comme dans les années Brongniart, entre dans une très faible part dans les techniques de la manufacture. Les procédés manuels y sont multiples, c'est ainsi que l'on identifie aisément certaines méthodes traditionnelles de l'art céramique, le tournage pour les pièces circulaires, le moulage, à l'aide de moules généralement en plâtre qui donnent leurs formes et leurs reliefs à la pâte molle et servent à la réalisation des sculptures. Est également fait à la main le (petit) coulage, procédé plus récent inventé vers 1780, adopté à Sèvres à partir de 1814, qui dérive du moulage et consiste à façonner l'objet dans un moule à l'aide d'une pâte très liquide, la barbotine. Un autre procédé, le calibrage, pour exécuter assiettes, plats et soucoupes, qui associe le tournage et le moulage, a quelque peu bénéficié des progrès de l'industrie. De nombreuses techniques de sculpture à la main servent à la fabrication des modèles de référence et des moules de travail.

L'émaillage, au cours duquel la couverte incolore est posée, s'exécute en trempant les pièces dégourdies dans le bain d'émail ; quant à la peinture à la main, elle tient une place prépondérante dans la finition de l'objet d'art avec la pose des fonds colorés, la peinture de petit feu et celle de l'or, tout comme le brunissage, technique qui rend brillante une surface métallique en la frottant de façon forte et répétée avec des outils en acier ou des pierres dures. La technique répétitive de l'impression des

Peinture d'une assiette d'après modèle.

décors combine pourtant une série d'opérations manuelles et la ciselure d'art se pratique avec une série d'outils manuels sur les montures en bronze. Sèvres tire parti d'une technique rare, l'ajourage, qui fait aussi appel à la dextérité manuelle. Cependant, quelques rares pratiques, ou plutôt quelques outils, ont été empruntées à l'industrie : l'air comprimé dans le grand coulage, le pistolet à air comprimé dans l'émaillage par insufflation, le propane et l'électricité pour les cuissons, la lithographie pour préparer certains décors.

Réserve de moules.

Cette énumération des procédés principaux pratiqués à la manufacture serait trompeuse et pourrait laisser penser que les techniques de Sèvres sont à quelque chose près les mêmes que celles d'une usine de porcelaine quelconque.

La fascination exercée par ces objets en porcelaine auprès des nombreux amateurs, le désir vif des artistes de travailler dans cette célèbre entreprise, en un mot la perfection qui s'attache à cette production – peut-on citer à ce propos le titre du conseil qui, au XIXᵉ siècle, rédige une série de rapports sur la production de la manufacture et qui s'intitule comité de perfectionnement ? – tiennent à une série de phénomènes, de préoccupations et de gestes spécifiques à Sèvres. En 1844, Alexandre Brongniart écrit ces lignes toujours actuelles : « La manufacture (royale) de porcelaine, par sa position actuelle et par la nature des travaux que cette

Ajourage d'une soucoupe.

La manufacture, cour royale, projet pour le déjeuner *L'Art de la porcelaine*, J.-C. Develly, 1816.

position libérale lui fait un devoir d'exécuter, est dans l'obligation de fabriquer avec un soin, une perfection et un éclat auxquels aucune considération commerciale ne doit mettre entrave. »

Cette ligne de conduite débute naturellement par le choix des matériaux entrant dans la composition de la porcelaine et pour son décor, celui du kaolin, car il doit donner à la pâte « un beau blanc, tirant sur celui du lait pur », des pigments métalliques, de l'or pur en lingot ; elle se poursuit dans leur préparation au laboratoire. Tout ceci s'accompagne d'un savoir-faire, d'une mise en relation de toutes les techniques de la céramique qui assurent la pérennité des porcelaines de Sèvres.

Un des soucis premiers est la confection de la pâte qui doit être longuement battue pour éviter les déformations au tournage ; l'autre consiste en une préparation minutieuse des modèles et d'une série modulable de moules pour le délicat montage des sculptures en biscuit, moules si parfaits qu'ils se décèleraient sur les dessins qui ont servi à les fabriquer. Après la cuisson de la

Carrières de kaolin, projet pour le déjeuner *L'Art de la porcelaine*, J.-C. Develly, 1816.

pâte qui doit se vitrifier, de multiples passages dans les fours sont exigés afin d'obtenir le brillant souhaité pour le décor qui a déjà fait l'objet de soins patients et de dextérité pour le peindre et sera parachevé par le brunissage.

L'atelier de brunissage.

Pourtant, la particularité de Sèvres et sa grande originalité tiennent surtout à des procédés particuliers qui ne s'opèrent que là, comme la singulière technique du tournage qui débute par une ébauche épaisse, car les œuvres sont amenées à leur mise aux dimensions parfaites grâce au tournassage final. Le calibrage, lui aussi, s'affine par une opération similaire qui aiguise le profil des assiettes et des plats. Certains procédés n'interviennent qu'avant ou entre les principales étapes d'exécution pour atteindre la qualité exigée. Parmi les plus remarquables, il faut noter les différents polissages qui adoucissent les matières, les préparent pour en accueillir d'autres : polissage du biscuit après cuisson, celui des pièces en bleu et en blanc, polissage des pièces en porcelaine tendre. Au nombre des méthodes spécifiques à la manufacture, il convient de citer la fabrication des supports pour le tournage, de ceux utilisés pour caler les biscuits dans les fours, celle des outils en acier ou en bois, comme les divers estèques particulièrement opératoires dans le tournage. Concourent à cet achèvement l'examen attentif des défauts (le tri des pièces) ainsi que les nombreuses retouches après chaque opération, l'émaillage, l'impression à l'or...

Un vocabulaire d'atelier dont certains termes sont propres à la manufacture ravive les habitudes professionnelles. Les mots de métier foi-

Polissage d'un biscuit.

Les bâtiments
de la manufacture de Sèvres

Transformés en usine modèle en 1852, sous la responsabilité de Henri-Victor Regnault, les ateliers fonctionnent sur le modèle du travail taylorisé, selon une fonctionnalité de type industriel qui met en collaboration vingt-cinq qualifications professionnelles d'une haute technicité. Ce système est le reflet de la personnalité du directeur Regnault, ardent défenseur de la synthèse des arts et des techniques et son attitude est bien révélatrice du climat du Second Empire. L'architecte à qui l'on doit l'aspect industriel des bâtiments est A. Laudin, élève de L. Visconti. Les premiers projets chiffrés datent de 1856. Les bâtiments sont inaugurés par le président de la République, le maréchal de Mac-Mahon en 1876. L'aménagement intérieur se poursuit jusqu'en 1880. En 1883, les derniers ouvriers quittent l'ancienne manufacture. Le terrain, enclavé dans le domaine de Saint-Cloud, est mis sous la juridiction de Sèvres pour que la manufacture ne change pas de nom.

Situés au bord de la Seine, cachés par l'imposante façade du musée national de Céramique, les ateliers s'organisent autour du bâtiment des fours selon une trame orthogonale.

Le bâtiment des fours est un vaste hangar en moellons, couvert d'une série de berceaux parallèles partiellement vitrés, qui

En face les fours ; à droite, le service de décoration ; à gauche, le service de fabrication.
Des travaux d'aménagement, poursuivis dès la Première Guerre mondiale, ont modifié et modernisé ces bâtiments qui gardent cependant leur structure globale d'origine.

Verrière. Photo prise du service de la décoration.

créent au sommet des façades est et ouest un jeu de pignons irréguliers. Il abrite six fours de brique à foyers circulaires extérieurs, les alandiers. Dans la chambre de grand feu, au rez-de

Côté arrière du bâtiment principal, derrière lequel se trouvent les ateliers. Ce bâtiment abrite partiellement le musée national de Céramique, fondé par A. Brongniart, conçu comme partie intégrante de la manufacture et mis sous l'autorité de la Réunion des musées nationaux depuis 1933.
Au premier étage, à droite, le service commercial et la direction de la manufacture.

chaussée, sont placées les pièces à cuire et le combustible tandis que le premier étage est réservé au dégourdi. Les ateliers de fabrication et de décoration sont disposés dans un long bâtiment dont les trois ailes encadrent le bâtiment des fours. Le premier étage abrite le vaste atelier des tourneurs ; l'aile ouest est occupée par l'atelier du grand coulage ; une galerie portée par des colonnes en fonte et sur laquelle se déplace un pont roulant datant de l'origine de la manufacture en fait le tour. L'aile nord est divisée en petits espaces servant d'ateliers de décor. C'est dans le bâtiment dit le moulin que se fabriquent les pâtes. Le premier étage abrite les stocks des matières premières, dont les divers kaolins. Autour du moulin se trouvent une réserve de matériel, un laboratoire et le dépôt des moules postérieur à l'ensemble des bâtiments. À l'arrière, le hangar à bois prévu à l'origine a été refait en béton et briques en 1965 ; il abrite la bibliothèque, les archives, la chaufferie et le bûcher. Les ateliers sont bordés au sud par le long bâtiment de l'administration. Quelques pavillons sont concédés à l'habitation, et des jardins s'étendent le long du mur de soutènement du parc de Saint-Cloud.

À droite, vue de l'arrière du bâtiment principal. À gauche, les ateliers de la manufacture.

Le personnel

Il comprend cent cinquante personnes soumises aux statuts des métiers d'art. La réforme du 24 mars 1992 a créé deux nouveaux corps : les chefs des travaux d'art et les techniciens d'art qui ont mission de créer des œuvres d'art, de les mettre en valeur, de les restaurer et de les préserver. Ceux-ci sont recrutés sur concours et reçoivent une formation interne de deux ans qui associe apprentissage et cours théoriques (histoire de l'art, modelage, dessin, technologie).

Vue de la partie du bâtiment principal qui abrite le musée national de la Céramique.

Les ateliers de la manufacture de Sèvres

Nicole Blondel

Les opérations préliminaires
Les techniques de mise en œuvre
Les techniques de décor
La cuisson et les fours
Les techniques de finition

LES OPÉRATIONS PRÉLIMINAIRES

LE LABORATOIRE

Laboratoire de chimie du directeur des travaux scientifiques
et techniques, MNS, archives.

L e laboratoire est le département de la manufacture de
porcelaine de Sèvres chargé de promouvoir la recherche
scientifique et technique dans le domaine de la céramique.

C'est là que l'on étudie et perfectionne les matières premières
destinées à la fabrication, kaolins, argiles, quartz, celles utilisées
dans la décoration comme la pegmatite et le quartz, qui servent,
par exemple, à la fabrication du fameux bleu de Sèvres.

Un second rôle du laboratoire est de préparer les glaçures et les
métaux précieux. Les délicates opérations de dissolution et de
précipitation de l'or font l'objet d'un contrôle sévère. La calcination (ou fritte) consiste à faire fondre ensemble plusieurs
matériaux (oxydes colorants : chrome, cobalt et fondants : pegmatite ou quartz) à la température la plus proche possible du
point où l'oxyde acquiert la couleur désirée. Les oxydes peu
réfractaires, tel l'oxyde d'antimoine, ne peuvent être chauffés
qu'à une température assez faible. Le mélange en fusion est
versé dans l'eau froide pour faire éclater la masse puis il est
finement broyé pour obtenir une poudre vitreuse.

La division de l'or permet de l'obtenir sous forme d'une poudre
très fine, donc facile à utiliser dans la peinture. Cette opération
dite « précipitation » s'opère après dissolution chimique, par le
sulfate de fer ou le nitrate de mercure qui isolent l'or de son
solvant.

Pesage

Pesage des matières premières à l'aide d'une balance et d'une main en nickel pour préparer les couleurs. Leur mélange, additionné d'oxyde, stocké en coque de plâtre avant calcination, est fritté.

Fusion de la fritte

Un des fours contenant le creuset ouvert (la cuillère en métal repose sur le fondant de peinture en fusion). Le creuset est sorti à l'aide d'une pince.

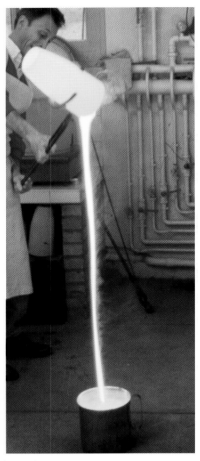

Refroidissement

La fritte en fusion est ensuite coulée dans une quantité d'eau déterminée pour étonner la matière, c'est-à-dire la rendre plus facile à broyer.

Bleu de Sèvres

Le bleu de Sèvres sorti des coques après calcination, une fois séché, est concassé dans un mortier, à l'aide d'un pilon en porcelaine puis trié à l'aide d'un tamis fin.

Dissolution de l'or

Dissolution de l'or : le lingot est attaqué par les acides composant l'eau régale.

Salle des couleurs

Dans la salle des couleurs, les couleurs de la manufacture de Sèvres sont conservées dans des bocaux en verre.

Précipitation de l'or

Lors de la précipitation de l'or, la solution de chlorure d'or commence à changer de couleur sous l'action du sulfate de fer.

Lingot d'or

Lingot d'or à 24 carats sur une assiette dont le marli porte des essais de dorure.

Appareil d'enregistrement

Porte échantillon de l'appareil d'analyse thermique différentielle servant à l'analyse et au suivi des pâtes à porcelaine.

L'ATELIER DES DESSINS D'ÉPURES ET PHOTOGRAPHIE

Cet atelier exécute une série de dessins qui tiennent compte de la nature de la pâte et du type de pièces : objets eux-mêmes, moules.

Le dessinateur d'épures est chargé de réaliser les dessins d'exécution de toutes les formes, dessins « pâte sèche » (pâte crue séchée à l'air), de « révolution », qui sont nécessaires au façonnage des formes en porcelaine tournées ou coulées, ainsi que les dessins dits « pâte molle », servant au façonnage des formes en porcelaine calibrées.

Ces types de dessins indiquent les profils intérieur et extérieur des pièces.

Les dessins « plâtre » reproduisent, pour l'atelier de moulage-tournage en plâtre, le profil intérieur des moules de calibrage, ainsi que le profil extérieur des modèles de « révolution », destinés à fabriquer des moules pour le coulage.

Tous ces dessins sont établis à l'aide de calibres, en général en papier rigide, découpés et poncés, après avoir été décalqués sur un premier dessin agrandi qui tient compte des retraits et déformations subis par les diverses pièces, suivant la pâte à porcelaine choisie et la forme de l'objet, et qui indique également les collages, les supports et la position en hauteur des garnitures.

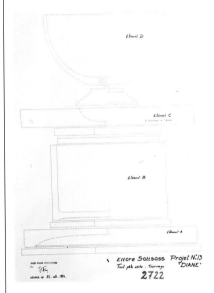

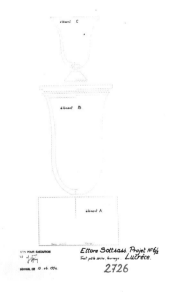

Dessin d'exécution du vase *Diane*, d'Ettore Sottsass, 1994.

Dessin d'exécution du vase *Lucrèce*, d'Ettore Sottsass, 1994.

LE PLÂTRE À SÈVRES

Mouleurs en plâtre, MNS, archives.

L a texture du plâtre fait de ce sulfate de calcium hydraté un matériau essentiel dans la chaîne de production des objets en porcelaine. Homogène et poreux, il absorbe l'humidité de la pâte uniformément, ce qui facilite le travail de moulage ou de coulage, que la pâte soit à l'état plastique ou liquide. Sa dureté relative permet de le sculpter et de le conserver pendant longtemps. Il sert donc à réaliser les modèles, à partir desquels l'on tire les moules de travail utilisés dans les diverses mises en œuvre.

La manufacture dispose d'une importante réserve de modèles et de moules de travail. Leur usure, l'adoption d'une forme nouvelle obligent à les refaire ou à les créer. Les modèles peuvent être considérés comme des patrons par lesquels l'idée créatrice d'une sculpture ou d'un objet de table se matérialise. À la manufacture sont conservés des modèles de figures, des modèles de formes dites de révolution et des modèles de formes irrégulières ; ils sont exécutés dans trois ateliers différents : l'atelier de sculpture-modelage de formes, l'atelier de sculpture-modelage de figures et l'atelier de moulage-tournage en plâtre.

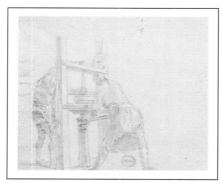

Mouleurs, dessin anonyme, XVIIIᵉ siècle.

L'atelier de sculpture-modelage de formes

L'atelier de sculpture-modelage de formes est chargé de réaliser en plâtre les premiers modèles et les prototypes des formes de « non-révolution », plus complexes que les formes régulières d'un plat ou d'une soucoupe. Il assure aussi la restauration des modèles anciens. On y façonne également les sculptures et les gravures qui ornent les surfaces de certaines pièces.

Pour créer un modèle en plâtre, le sculpteur-modeleur de formes établit deux dessins techniques, avec toutes les vues d'exécution : l'un représente la forme finale en porcelaine, l'autre, agrandi, tient compte du retrait, des déformations et transformations que la pièce en porcelaine subit pendant la cuisson à haute température.

Les premiers modèles sont réalisés à l'aide de différentes techniques : ossature, tournage, traînage, modelage. La sculpture est une partie importante du travail du sculpteur-modeleur, qui taille dans la masse aussi bien les formes tournées arrondies que les garnitures et les reliefs.

Une fois le modèle terminé, le sculpteur-modeleur tire un premier moule en plâtre, dit « moule d'essai » ou « premier moule », conservé pour référence ; ce moule sert à avoir une épreuve en porcelaine dont le sculpteur-modeleur de formes contrôle les résultats après cuisson.

Façonnage du modèle d'une anse
Après réalisation du dessin technique, façonnage d'un calibre en papier fort pour reporter le dessin de l'anse sur une plaque en plâtre.

Retouche de l'anse sculptée
Sculpture de la forme générale à main levée. La garniture en plâtre est arrondie ou retouchée à sec.

Modèles de plats en plâtre pour le traînage
Techniques du traînage pour façonner les modèles de plats à forme de non-révolution. Le traînage consiste à couler du plâtre et à obtenir la forme finale par un calibre au profil de la pièce.

Coulage
Enterrage et coulage du plâtre.

Savonnage
Savonnage de la bosse qui représente le creux du plat.

Dégrossissage
Dégrossissage rapide à l'aide d'un sabot muni d'une lame en acier dont le profil correspond à celui de la pièce pour obtenir la forme du plat.

Tournassage d'une forme en plâtre
Tournassage d'une forme générale de non-révolution, celle du vase d'Alençon, qui est ensuite transformée par retouche à sec à la table, à l'aide d'une plane de charron et d'outils en acier.

Retouche à sec de la forme tournée

L'atelier des sculpteurs en porcelaine, projet pour le déjeuner *L'Art de la porcelaine*, J.-C. Develly, 1816

L'atelier de sculpture-modelage de figures

L'atelier de sculpture-modelage de figures exécute, d'après des sculptures originales, ronde-bosse ou bas-reliefs, de modèles en plâtre, coupés et montés, pour pouvoir les reproduire en porcelaine. Le « modèle-monté » est le modèle entier. Il sert de référence aux mouleurs-repareurs qui exécutent les statues en biscuit. Le « modèle-coupé » est l'ensemble des morceaux du modèle qui a été divisé. Il sert à fabriquer (à l'atelier de moulage-tournage en plâtre) les « rondes de moules » ; chaque moule correspond à cette démultiplication de la sculpture.

Cet atelier assure aussi la restauration des modèles anciens, l'entretien des collections des « modèles coupés » et des « modèles montés » et la réalisation des modèles de figures contemporains. Un modèle peut également être réalisé pour les archives de la manufacture.

Pour réaliser les modèles, le sculpteur-modeleur de figures utilise, le plus souvent, les « moules-plâtre » d'origine des XVIIIe, XIXe ou XXe siècles. S'il en manque, il peut utiliser les « moules-pâte » d'origine, c'est-à-dire ceux qui servaient à l'estampage (moules de travail), et qui ont permis de fabriquer des tirages. S'il ne dispose que du modèle d'origine, soit il s'en sert comme référence en modelant à vue, soit il effectue des moulages sur le modèle original. Faute d'original, il taille directement, à « main levée », la sculpture toute entière ou seulement un élément d'après un document.

Les techniques utilisées sont diverses : taille directe, modelage, moulage, complétés par l'important travail de sculpture, de retouche et de finition.

Le sculpteur-modeleur de figures peut aussi agrandir ou réduire un modèle à l'aide d'un pantographe ou d'un compas d'agrandissement : le retrait, d'environ 16 %, que subit à la cuisson la pièce en porcelaine est calculé pour chaque objet.

Les matériaux utilisés sont à la fois traditionnels et contemporains ; le plâtre, le silicone, la terre, la plastiline ou la résine.

Modèles en plâtre
Modèles en plâtre d'époques diverses

Retouche du modèle de *Diane au bain*
après démoulage.

L'atelier de moulage-tournage en plâtre

Ici se situe le point de départ de la chaîne de production en série des objets en porcelaine. L'atelier de moulage-tournage en plâtre réalise les modèles dits « de révolution » ainsi que leurs moules en plâtre qu'on ne fabriquera qu'après avoir testé les résultats d'un premier moule d'essai.

L'atelier de moulage-tournage en plâtre alimente en moules de travail cinq ateliers.

À l'atelier de moulage-reparage, il fournit les « rondes de moules ».

À l'atelier de petit coulage, il procure les moules qui servent au coulage des formes de « non-révolution » ou à reliefs, qui ne peuvent être ni estampées ni tournées.

L'atelier de moulage-tournage en plâtre procure aussi à l'atelier de grand coulage, les moules qui servent à l'exécution de vases qu'il est impossible de réaliser par le procédé de tournage de creux.

Il donne au calibrage, les moules des assiettes, des soucoupes et des plats en porcelaine, y compris ceux qui comportent des reliefs sur leur surface.

Enfin, il exécute pour l'atelier de découpage-garnissage les moules des garnitures en porcelaine (anses, becs, boutons...) qui seront coulées, ajustées sur les corps des pièces de service. Les moules des assiettes aux bords festonnés qui sont découpés et ceux qui comportent des motifs ajourés sur la surface sont fabriqués là.

L'atelier de moulage-tournage en plâtre produit une deuxième série de moules en plâtre, afin de préserver la collection des modèles, en réalisant en priorité le moulage de chaque original qui sera précieusement conservé, comme l'est le modèle.

Les moules à creux perdu, à bon creux (pour la pâte et le plâtre), sont exécutés sur la table, comme les moules de petit coulage et ceux à l'élastomère (substitut de la gélatine). Les moules à creux perdu sont destinés à être détruits pour permettre l'extraction de l'épreuve qu'ils contiennent ; par contre, les moules à bon creux sont réutilisables.

Au marbre, l'on réalise par traînage des modèles, moulures, architectures ainsi que des plaques.

C'est au petit tour (assis) que l'on exécute les modèles de « révolution » de petites dimensions, les moules de grand coulage et les rondeaux servant aux tourneurs comme base de travail.

Le travail à la calibreuse sert à fabriquer les modèles et les moules de calibrage, mère de moule, et autres.

Les modèles de « révolution » de grandes dimensions (pouvant atteindre deux mètres) et leurs moules, pour le grand coulage, sont faits au grand tour (debout).

Moule du sphinx criocéphale
Moule à sous-pièces du *Sphinx criocéphale* faisant partie du surtout du *Service égyptien*.
À gauche : la chape ; à droite : les sous-pièces.

Coulage
Après coffrage, coulage, attente de prise du plâtre.

Décoffrage
Décoffrage, dégrossissage, démoulage après la chauffe naturelle du plâtre.

Moules
Coffrages d'une sous-pièce.

Réserve de moules

Façonnage d'une assiette
Façonnage du modèle d'une assiette qui servira à fabriquer la mère de moules ainsi que les moules pour l'atelier de calibrage.

Savonnage au petit tour assis
Réalisation au petit tour assis du moule du *vase d'Alençon* : savonnage préalable du modèle.

Tournassage d'un modèle
Tournassage au grand tour debout du modèle de révolution en plâtre du vase de J.-L. Vilmouth.

Tournassage d'un modèle
Réalisation au petit tour assis d'un modèle de *vase Decœur* à forme de révolution par taille dans la masse.

Moules en élastomère
Premier moule, noyaux en élastomère et moule de la cuvette du pot à eau *Feuille d'eau*.

LE MOULIN

Marcheur de pâte, projet pour le déjeuner
L'Art de la porcelaine, J.-C. Develly, 1816.

C'est au moulin que sont fabriquées les quatre pâtes à porcelaine de la manufacture (pâte dure, porcelaine nouvelle, pâte AA (Antoine d'Albis), pâte tendre) et les couvertes à partir des matières premières réduites en grosse poudre. Le kaolin entre à 70 % dans la composition de la pâte dure, à 50 % dans celle de la pâte AA, à 45 % dans celle de la porcelaine nouvelle et à 10 % environ dans celle de la pâte tendre.

Le feldspath et le quartz achetés en roche, autres éléments composant la pâte à porcelaine, sont concassés sous des meules verticales en granit.

Le mélange des matières premières est pesé en fraction de cinq cents kilos puis broyé avec une quantité équivalente d'eau, dans les broyeurs Alsing contenant des galets de mer. Il est ensuite tamisé et purifié.

La barbotine qui en résulte est pressée dans les alvéoles du filtre-presse revêtues de toile filtrante d'où elle ressort sous forme de galettes de pâte. La pression peut s'élever jusqu'à 10 ou 15 kg/cm² pour que la pâte atteigne la consistance voulue. Les galettes de pâte sont alors stockées en cave à pâte.

Après quelques mois, elles sont malaxées sur une marcheuse qui pétrit l'extérieur et l'intérieur pour homogénéiser la pâte et en extraire les bulles d'air. En outre, cette pâte est façonnée, mécaniquement, en forme de colombins par la désaéreuse.

Réserves de quartz   *Galets de mer*

Le quartz, concassé sous la meule verticale en rotation, est versé dans des seaux
à l'aide d'une pelle en zinc.

Concassage du quartz

Moulin, projet pour le déjeuner *L'Art de la porcelaine*, J.-C. Develly, 1816.

Malaxage de la pâte
Le bloc de pâte coupé morceau par morceau sur la marcheuse en rotation est soulevé et plaqué pour homogénéiser la pâte, désaérée ensuite dans des désaéreuses.

LES TECHNIQUES
DE MISE EN ŒUVRE

LE GRAND ATELIER

Garnisseur, projet pour le service des *Arts industriels*, J.-C. Develly, 1816.

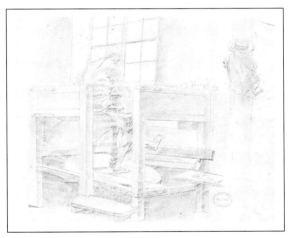

Tourneur, dessin anonyme, XVIIIe.

Dans cet atelier, le plus vaste de la manufacture de Sèvres, on réalise plusieurs opérations qui peuvent s'enchaîner : le battage de la pâte, le tournage, le calibrage, le découpage-garnissage.

Le battage de la pâte

utrefois, la pâte non désaérée se présentait sous forme de ballons. Ils étaient plaqués et battus longuement par le batteur pour en retirer toute bulle d'air. Puis, celui-ci leur donnait la forme de colombins, afin d'y couper des balles destinées au travail des tourneurs et des calibreurs.

Aujourd'hui, les colombins, sortis des désaéreuses, sont coupés et préparés en balles, toujours en fonction des besoins des tourneurs et des calibreurs, par le batteur de pâte.

Battage
Battage de la pâte et découpage de celle-ci avec un fil en laiton : la proportion du colombin se fait à l'aide d'un compas à pointe sèche, selon le volume de la pièce à tourner ou à calibrer. Pendant le battage, il faut tenir compte de l'orientation des particules qui composent la pâte.

Le tournage

L'ébauchage

Par tournage sont réalisés des pièces de service et des vases de formes circulaires à l'aide des dessins pâte sèche. Le travail est exécuté sur un tour en rotation en deux étapes bien distinctes.

L'ébauchage est réalisé en plusieurs opérations successives. La balle de pâte collée à la barbotine, centrée sur un rondeau en plâtre, lui-même collé sur la tête de tour, est travaillée par pression des mains. Avec des mouvements montants et descendants, elle est dressée jusqu'au parfait centrage et jusqu'à l'homogénéité de la masse.

La balle de pâte est percée et les parois montées jusqu'au profil exact grâce à l'estèque, instrument plat d'environ huit millimètres d'épaisseur, découpé selon le profil intérieur du dessin d'exécution, mais agrandi de 10 % environ correspondant au retrait de l'ébauche au séchage. L'estéquage permet d'atteindre les profilés intérieurs.

À la différence de ces ébauches, certaines pièces plates, soucoupes, coupes, ou très évasées, compotiers, sont ébauchées pleines. Après centrage et dressage de la balle de pâte, la forme extérieure est ébauchée à l'aide d'éponges plates imbibées de barbotine. L'on contrôle ses dimensions au compas. L'intérieur de la pièce sera évidé au tournassage.

Après quelques jours de séchage à l'air libre, les ébauches, décollées de leur rondeau, sont conservées dans des coffres humides, pour garder 10 % d'humidité, afin d'être mieux tournassées.

Tournage d'un objet creux
Lors du dressage de la pâte, la balle de pâte, centrée sur le rondeau, est étirée en un cône allongé.

Perçage
Façonnage d'une ébauche creuse : perçage de la masse de porcelaine. Les deux parois sont ensuite montées avec précaution, entre deux éponges naturelles imbibées de barbotine.

Contrôle à la pige
Contrôle à la pige du diamètre de la pièce.

Passage de l'estèque
Passage de l'estèque, après suppression des raies de barbotine et coupe au coupe-pâte du surplus en hauteur.

Finition
Finition au bec-de-corbin qui sert à épurer et à parfaire la partie basse de l'ébauche.

Ébauchage
Massage avec une éponge naturelle (ou oreille d'éléphant), imbibée de barbotine, du centre puis du reste de la forme.

Contrôle des dimensions
Contrôle des dimensions avec un compas cintré.

Façonnage de l'ébauche pleine d'un *compotier égyptien*, qui sera évidé au tournassage.

Le tournassage

Au cours du tournassage, l'ébauche qui a la consistance du cuir après un séchage, acquiert sa forme précise, car l'excès de pâte est ôté en copeaux ou rognures par des outils tranchants, les tournassins. Fort important, le tournassage permet de modifier les différences de diamètre entre la base et le haut de la pièce, de créer un nombre infini de formes et de moulures aux contours très subtils. L'ébauche est maintenue sur une forme adaptée, le mandrin, de la même pâte que celle-ci, qui va servir de table de travail tournante. Le tourneur, dont la main est appuyée sur le pichouret, commence par dégrossir la forme, puis prend les points de repère essentiels avec des compas (à pointe sèche, recourbés ou cintrés) ; le trusquin et les piges donnent les hauteurs extérieures et les profondeurs intérieures. Pour vérifier les épaisseurs, le tourneur utilise un double compas appelé maître à danser. Enfin, des profils en acier correspondant aux traits du dessin d'exécution – affûtés sur place sur une meule à eau – sont utilisés pour la finition des lignes de chaque pièce.

Dans cet atelier sont aussi tournassés les supports qui vont servir à la cuisson des pièces (voir cuisson et fours).

Mandrins

Affûtage
Affûtage des profils en acier pour le tournage du *vase Sybilla* d'Ettore Sottsass.

Profils en acier posés sur le dessin d'exécution du vase Sybilla *d'Ettore Sottsass.*

Tournassage
Tournassage du corps du *vase Fuseau*, emboîté sur son mandrin.

Tournassage d'un élément du vase Sybilla.

Emmandrinage
Emmandrinage du corps du vase *Fuseau* afin de préparer le collage de son col.

Ajustage du col
Vérification de l'ajustage du col. L'excédent de barbotine qui a servi au collage est enlevé au pinceau.

Vérification de l'épaisseur
Vérification de l'épaisseur du *saladier Pimprenelle* à l'aide d'un compas maître à danser, d'après le dessin d'exécution.

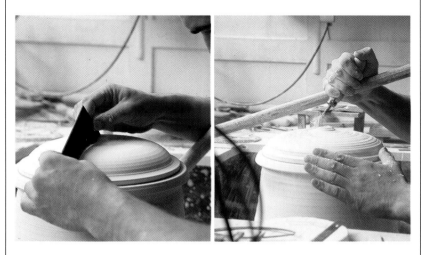

Tournassage d'une ébauche pleine.

Le calibrage

Cette opération qui tient à la fois du moulage et du tournage s'effectue sur un tour au moyen d'un moule. Le calibrage sert à façonner les objets plats circulaires tels qu'assiettes, soucoupes et plats. La pâte plastique préalablement étalée est appliquée contre la surface du moule pendant la rotation de celui-ci sur le tour et acquiert sa forme intérieure : le revers est profilé au calibre qui procure l'épaisseur finale. Cette technique est appelée calibrage en bosse, c'est-à-dire sur un volume, ce qui l'oppose au calibrage en creux que l'on exploite ailleurs qu'à Sèvres pour fabriquer les tasses par exemple.

La technique de Sèvres use de calibreuses qui comptent trois postes. Sur le premier, le calibreur, après avoir centré et dressé la pâte directement sur une basane, façonne une croûte d'épaisseur régulière. Sur le deuxième, la basane, avec sa croûte, est retournée et positionnée au-dessus du moule.

Enfin, sur le troisième, le calibreur décolle la croûte de la basane qu'il imprime sur le moule en rotation avec un mouvement régulier allant du centre vers la périphérie. Le moule, avec sa croûte, est alors placé sous le calibre qui donne le profil intérieur.

Pour les pièces à reliefs profonds, il est nécessaire d'utiliser une mailloche.

Les calibres qui servent à la troisième phase du travail sont fabriqués et ajustés sur le dessin d'exécution, puis montés sur un bras à mouvement vertical actionné manuellement par le calibreur.

Cependant, un tournassage final, après un séchage complet, est nécessaire.

Calibrage.

La balle de pâte, plaquée sur la basane en rotation, est dressée, puis écrasée et lissée à l'aide d'un couteau en acier. Le profil extérieur de l'assiette est mis en forme par le calibre en acier, monté sur un bras mobile dont la course est limitée par une butée. Le talon de l'assiette est maintenu par la pression d'une éponge naturelle qui sert aussi à humidifier la pièce. L'excédent de pâte est retiré à l'aide d'une lame en acier.

Retouche d'une assiette calibrée
Tournassage d'une assiette calibrée pour obtenir son aspect final (d'après le dessin d'exécution). Les marques du type de pâte utilisée, de la date du calibrage et des initiales du calibreur, seront apposées par la suite.

Calibrage à la mailloche
Ici, le *plat Ataly* de A.-L. Piza, qui comporte des reliefs en creux.

Découpage – garnissage

Cette double appellation recouvre plusieurs actions : le découpage des bords festonnés à l'aide d'un outil en acier, d'abrasifs et de filasse, l'ajourage des objets dits réticulés ainsi que le façonnage, puis l'ajustage et le collage des garnitures à sec avec de la barbotine (anses, becs, boutons...). Les garnitures sont coulées à la barbotine dans des moules en plâtre. Pour rendre plus grandes les garnitures creuses, de l'air comprimé est en général soufflé dans le moule lors de l'évidage de la barbotine. Après démoulage et séchage, leurs coutures sont effacées ; les garnitures sont retouchées à sec avant d'être ajustées aux corps.

Coulage
Coulage, avec de la barbotine défloculée, à la seringue d'une patte de lion servant de support au *confiturier égyptien*.

Retouche
Retouche des pièces ajoutées au *confiturier égyptien*.

Démoulage
Ouverture de la chape du moule à pièces contenant la patte de lion.

Chiquetage

Suppression des coutures
Suppression des coutures à sec à l'aide de lames en acier et d'abrasifs.

Ajustage après chiquetage
Pour ajuster cette anse retouchée à l'outil, les surfaces sur lesquelles elle sera collée sont chiquetées, c'est-à-dire entaillées pour favoriser l'adhérence.

Garnissage
Collage à sec de l'anse sur la tasse.

Garnissage du Gobelet enfoncé
Le trait du dessin technique a permis de bien ajuster l'anse en tenant compte du dévissage du corps à la cuisson. L'anse est posée suivant une oblique symétriquement opposée à l'angle de dévissage.

Découpage des bords
Les bords festonnés d'une *assiette Pimprenelle* sont découpés à l'aide d'une lame en acier et de papier abrasif, puis arrondis à la filasse.

Ajourage d'une soucoupe
Ajourage d'une soucoupe du *service réticulé chinois*. Après avoir percé le centre du motif à l'aide de limes en acier, celui-ci est délicatement découpé afin de donner à l'alvéole sa forme dite « nid-d'abeille », opération répétée motif après motif.

Ajourage d'une tasse
Les motifs à ajourer ont été préalablement estampés à la housse (introduction d'une pâte molle dans un moule creux pour l'estamper, ce qui préforme les motifs). Ils sont découpés en évitant d'abîmer la paroi interne.

L'ATELIER DE PETIT COULAGE

Cet atelier réalise, par le procédé du coulage à la barbotine, toutes sortes d'objets non circulaires et ceux comportant le plus souvent des reliefs.

Dans cet atelier, les quatre barbotines utilisées contiennent des défloculants qui fluidifient la pâte et qui correspondent aux quatre pâtes de la manufacture de Sèvres. À fluidité égale, les défloculants permettent de mettre moins d'eau dans les barbotines de coulage.

Le coulage est opéré par le haut du moule. Deux types de coulage sont principalement utilisés.

Le coulage à ciel ouvert dans lequel le moule est rempli de barbotine, maintenu plein le temps jugé nécessaire, ce qui détermine l'épaisseur de la pièce, puis vidé de l'excédent de barbotine soit par renversement, soit par écoulement par le fond.

Dans le coulage entre deux plâtres, l'espace intérieur du moule doit être complètement rempli de barbotine ; on continue donc d'alimenter le moule de barbotine jusqu'à complète absorption. Le coulage entre deux plâtres à la pression, souvent utilisé pour le coulage de plaques ou de pièces nécessitant de fortes épaisseurs, est fondé sur le même principe. Après le démoulage, les pièces doivent sécher naturellement avant d'être retouchées.

Réservoir de barbotine

Démoulage du corps du vase Salomé
Démoulage du corps du *vase Salomé* d'Ettore Sottsass, raffermi, qui a pris du retrait dans le moule.

Coulage
Dans le coulage à ciel ouvert, l'intérieur du moule est rempli de barbotine en fonction de l'épaisseur de la pellicule de pâte désirée. Celle-ci atteinte, l'excédent de barbotine est vidé.

Retouche de la corbeille Tulipe
Retouche de la *corbeille Tulipe*, obtenue par coulage. Le bord festonné est découpé à l'aide d'outils en acier.

Galerie des moules de grand coulage.

L'ATELIER DE GRAND COULAGE

Atelier du grand coulage, MNS, archives.

Les pièces produites dans cet atelier sont généralement circulaires, le plus souvent ce sont des vases de grandes dimensions. Dans un empilage de moules en plâtre reproduisant le vase à venir, le coulage de la barbotine à l'état naturel, composée uniquement de matières premières et d'eau, se fait du bas vers le haut, en source ou en fontaine, par un orifice dans le bas du moule. Grâce à l'absorption de l'eau par le plâtre, une pellicule de porcelaine se forme autour des parois du moule. Quand l'épaisseur désirée est atteinte, l'excédent de barbotine est vidé par le bas du moule.

Sur les parois, la pâte, encore molle, peut soutenir son propre poids, grâce à l'utilisation de l'air comprimé soufflé dans le moule après coulage, ou bien à la création d'un vide partiel entre le moule et une cloche métallique qui le recouvre, dans le cas de réalisation de pièces de très grandes dimensions.

Après démoulage et séchage naturel, la pièce est tournassée à sec, suivant le dessin d'exécution. Les pieds seront collés à la barbotine.

Remplissage du moule
Le moule d'un *vase de Clermont*, haut de soixante centimètres, est rempli de barbotine qui monte en source ou en fontaine. La vitesse de montée de la barbotine est surveillée à l'aide d'un miroir à la partie supérieure afin que soit règlé le débit du robinet à la partie inférieure.

Soufflage de l'air comprimé
Soufflage de l'air comprimé dans le moule. Les parois de l'objet en porcelaine, encore molles, peuvent alors soutenir leur propre poids.

Séchage
Séchage des vases, démoulés en partie (certaines des pièces composant le moule sont parfois ouvertes tout de suite après soufflage).

Suppression de l'empreinte
Suppression de la bride qui a servi de nourrice.

Finition
Retouche à l'aide d'un tournassin.

L'ATELIER DE MOULAGE-REPARAGE

Repareur, dessin anonyme, XVIIIᵉ

C'est dans cet atelier que sont façonnés les biscuits. Pour les réaliser, les mouleurs-repareurs disposent d'un modèle-monté qui leur sert de référence et de l'ensemble des nombreux moules qui représentent chacun une partie, parfois très petite, du modèle-coupé.

La partie lisse de la pâte étendue en « croûte » et amenée à l'épaisseur désirée est imprimée par estampage dans les deux parties d'un moule ouvert. Le mouleur-repareur recharge la croûte de boulettes de pâte pour obtenir l'épaisseur désirée qu'il mesure avec une pige. Tandis que la pâte se raffermit au contact du plâtre, elle est resserrée (tassée à la main).

Après avoir vérifié la cohésion du joint du moule à l'aide d'une mousseline, le mouleur-repareur l'enduit de barbotine pour le coller, puis ferme le moule. L'excédent de barbotine s'écoule sur le dégorgeoir. Suit le démoulage.

Les traces laissées par le joint, ou coutures, sont effacées. Le biscuit est ensuite monté, ou reconstitué, par collage à la barbotine, morceau par morceau.

Le reparage ou retouche, travail des plus délicats, consiste à sculpter toutes les parties du biscuit pour leur redonner leur éclat et leur finesse.

Façonnage d'un biscuit
Lissage de la pâte (ou croûte) étendue avec un grand couteau à plat sur une peau de bovin trempée. L'épaisseur voulue est définie auparavant, à l'aide d'un rouleau posé sur deux réglettes en bois.

Estampage
Lors de l'estampage, la pâte raffermie dans le moule est resserrée pour diminuer le retrait au séchage.

Chiquetage
Chiquetage du joint pour faire adhérer la barbotine qui colle les deux parties du moule.

Démoulage
Au démoulage, la chape est déplacée et les sous-pièces qui entourent le morceau du biscuit sont enlevées une à une.

Montage
Collage à la barbotine des différentes parties d'un biscuit.

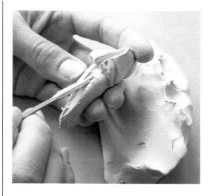

Pastillage
Modelage des ornements du panier du biscuit, les *Grâces Cariatides*.

Resserrage d'une couture
Suppression d'une couture (d'un élément de biscuit) après le moulage : la barbotine qui a servi pour le collage est remplacée par un colombin placé à l'ébauchoir.

Pastillage
Pastillage de la sculpture *Ritual Object*, de Charles Simonds, recouverte de briquettes en biscuit posées à sec.

Resserrage d'une couture

Reparage
Retouche d'une partie d'un biscuit.

La sculpture *Growth* de Charles Simonds, obtenue par pastillage.

L'ATELIER D'ÉMAILLAGE PAR TREMPAGE

Émaillage par trempage, MNS, archives.

Les objets en porcelaine sont trempés dans un bain composé de couverte incolore en suspension dans l'eau, préparée au « moulin ». Sa composition varie selon la pâte utilisée ; à chaque pâte correspond sa « couverte ». Sa densité, fonction du volume et de l'épaisseur de l'objet à tremper, est définie à l'atelier par pesage.

Il est nécessaire, avant trempage, d'agiter le bain. Le geste de l'émailleur varie selon la forme de l'objet à tremper. Quarante-huit heures de séchage sont nécessaires avant de pouvoir retoucher une pièce trempée.

Des retouches au pinceau (en poil de martre) sont faites pour les lacunes. Le même émail que celui du bain est employé, à l'état liquide, avec rajout de gomme adragante imbibée d'eau et d'un colorant, la fuchsine, qui disparaît à la cuisson : il sert à distinguer les points de retouche et les épaisseurs.

Autre opération effectuée à la « retouche », le « désémaillage » des parties des pièces au contact des supports de cuisson, comme les talons des assiettes, qui ne seront pas réémaillés, ou les bords supérieurs des tasses qui cuisent posées à l'envers sur les supports.

Émaillage d'une assiette Uni
Émaillage d'une assiette : l'émailleur la sort du bain d'émail d'un geste qui expulse l'excédent.

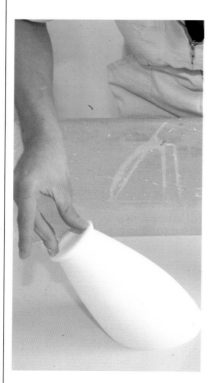

Émaillage d'un vase de Clermont
Émaillage par trempage de l'extérieur d'un *vase de Clermont*.

Retouches après émaillage
Les traces de doigts dégrossies à l'aide d'une lame en acier, surplus d'émail (gouttes), sont enlevées au pinceau sec en poils de porc. Le pinceau en poils de martre, ou pinceau de retouche, sert à rajouter de l'émail.

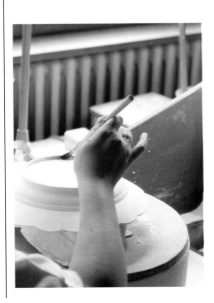

LES TECHNIQUES DE DÉCOR

La peinture

Palettes des couleurs de grand feu pour émaillage par insufflation.

Atelier de décoration en pâtes colorées, MNS, archives.

Cette activité est considérée, au sein de l'établissement, comme la spécialité de l'atelier de peinture (de petit feu).

À l'examen, la peinture à la manufacture de Sèvres fait appel à beaucoup d'autres couleurs, elles aussi posées au pinceau, que celles cuites à moindre température. On dénombre ainsi : les sous-couvertes, les pâtes colorées, les couvertes colorées, les sur-couvertes. Ces appellations ésotériques font référence aux techniques de pose de ces palettes sur le tesson blanc, à leur emplacement par rapport à l'émail, à la composition, ou à leur température de cuisson. Les sous-couvertes sont des colorants mêlés en concentrations relativement fortes dans un milieu réfractaire. Les pâtes colorées sont utilisées en épaisseur et posées sur la pâte crue ; les couvertes colorées jouent sur la qualité de la matière, les sur-couvertes sont appliquées le plus souvent en couches superposées sur la couverte incolore déjà cuite.

Ces teintes sont posées grâce à divers pinceaux, blaireaux, putois, au nombre desquels l'on peut inclure l'éponge.

Atelier d'émaillage. Mise en couverte colorée d'une colonne de fontaine, figures d'Alfred Boucher, MNS, archives.

L'atelier d'émaillage par insufflation

Dans l'atelier d'émaillage par insufflation, l'on utilise le pistolet à air comprimé qui procure à la couleur (couverte colorée, sur-couverte) une totale régularité.
Afin d'obtenir un effet nuagé, c'est-à-dire des taches légèrement plus claires aux contours flous, on tapote une éponge irrégulièrement sur le fond coloré. Le dégradé est plus systématique.

Pièces émaillées par insufflation unies ou nuagées prêtes à la cuisson

Pose de la couverte
Pose de la couverte par le pistolet à air comprimé pour obtenir une couleur unie.

Retouches

Pose de la couverte
Pose de la couverte colorée à l'éponge naturelle par tapotements irréguliers qui donnent un effet nuagé.

Vase Decœur
L'effet moucheté du *vase Decœur* est obtenu au pistolet.

L'atelier de pose de fond

Dans cet atelier, les fonds colorés, si importants dans la décoration de la porcelaine, sont appliqués sur les objets par des techniques de peinture un peu particulières : le blaireautage et le putoisage grâce auxquels les diverses couleurs, sur-couvertes de grand feu ou fonds de petit feu de teintes diverses sont réparties sur toute la surface de la pièce. On peut leur ajouter des décors en or. Il est impératif que la couleur soit répartie de façon très homogène. Les couches de couleur délayée dans de l'essence grasse sont posées à la brosse de blaireau ou de putois et séchées séparément. Le bleu moucheté en une seule couche est appelé *bleu granité* ; trois couches donnent le *gros bleu*. Les enlevés sur une seconde couche font le *bleu nuagé*. Le *bleu agate* est obtenu par des couches minces, avec la même couleur très diluée.

Le bleu de Sèvres
Sur une palette de verre, le bleu de Sèvres.
Pose du bleu de Sèvres
Putoisage de la couleur avec une brosse en poils durs.

Putoisage de l'intérieur du vase de R. Peduzzi, en porcelaine tendre.

Modèle d'*assiette Duplessis*, dont les rinceaux à relief ont été laqués préalablement, car ils resteront blancs. La laque sur les rinceaux est enlevée avec une pince qui entraîne la couleur posée dessus.

Peintres, projet pour le déjeuner *L'Art de la porcelaine*,
J.-C. Develly, 1816.

L'atelier de peinture de petit feu

L a peinture (de petit feu) est exécutée avec des couleurs
minérales préparées au laboratoire, oxydes métalliques
mélangés aux fondants. Quatre-vingt-dix teintes environ
constituent le domaine réservé de Sèvres. L'essence de téré-
benthine leur servira de liant. Pour guider la peinture, l'on pré-
pare des poncifs pour les contours du décor. Ce sont des
papiers transparents sur lesquels des motifs sont tracés à la
plume, d'après un modèle original. Le peintre utilise des
décalques de ce poncif, piqués de petits trous au travers desquels l'on verse de la poudre de fusain. Ils servent à obtenir un
premier dessin des contours. Les palettes, présentant l'échan-
tillonnage des couleurs sur pâte dure, tendre, AA ou nouvelle,
et leur transformation à la cuisson de petit feu entre 920 °C et
840 °C, sont des repères indispensables. Le plus souvent, le
peintre dispose aussi d'un modèle original qui lui sert de référence et qui peut dater du XVIIIe, XIXe ou XXe siècle.
La peinture est réalisée à main levée : le peintre monte les
valeurs et les effets de lumière afin qu'ils acquièrent la même
intensité que ceux du modèle qui a subi les cuissons.
Les valeurs vont baisser à la première cuisson, ce qui obligera
à une seconde cuisson et peut-être à une troisième à températures dégressives. Des retouches sont souvent effectuées entre
les cuissons pour renforcer les valeurs et accentuer les volumes.

Préparation du poncif

Préparation du poncif
Préparation du poncif et pose de son tracé, piqué de petits trous (à l'aide d'une machine à piquer manuelle munie d'une aiguille) sur l'objet.
Poncif frotté avec la poncette
Poncif frotté avec la poncette ; la poudre du fusain se dépose sur la porcelaine à travers les trous du papier : les contours du dessin apparaissent.

Peinture à main levée de la soucoupe Calabre

Recherche des couleurs du Gobelet enfoncé *et de sa* soucoupe à gaine
Sur la table, les échantillons de couleurs ainsi que la palette de pâte tendre.

Peinture de petit feu
Sur ce *Gobelet enfoncé*, réédition d'un modèle du XVIIIe siècle en porcelaine tendre, pose de la peinture à main levée d'après un modèle original.

Peinture d'une plaque
Peinture d'après un tracé lithographié sur une plaque en porcelaine destinée à orner un meuble. Le peintre rajoute au pinceau les valeurs, en s'aidant des échantillons de recherche des couleurs, d'un premier essai et de l'aquarelle originale qui sert de modèle.

Repique
Repique après la première cuisson pour renforcer les valeurs (*assiette Pimprenelle*).

Peinture de l'*Assiette lobée Peyre* d'après modèle

Fileur-doreur, dessin anonyme, XVIIIe siècle.

L'atelier de filage et dorure

L e filage consiste à dorer au pinceau les bords des porcelaines de traits d'épaisseur variable, filets ou bandes en or réguliers et continus. Le fileur se sert de pinceaux à sifflet ou de pinceaux à bande. L'objet à dorer est posé sur une tournette que le peintre fait pivoter.

Les différents ors précipités, à la couperose, au mercure, sont broyés sur place, mélangés à un diluant et au fondant à l'aide d'une molette en verre. Plusieurs couches sont parfois indispensables.

Fioles contenant des ors préparés de diverses façons.

Mélange de l'or au fondant
Mélange de l'or pur en poudre précipité à un diluant et au fondant, à l'aide d'une molette en verre sur une plaque de verre dépoli, avec un mouvement régulier qui suit le sens de l'aiguille d'une montre. Après séchage, la poudre d'or est broyée à nouveau.

Filage des bords
Filage des bords en entraînant en rotation la tournette sur laquelle est posée l'assiette.

Filage d'un compotier
Filage du filet intérieur du *compotier égyptien* par le « pinceau à sifflet ».

Confiturier égyptien
Pinceau à bande pour peindre les surfaces plein or du *confiturier égyptien*.

Moufle
L'or à la couperose est posé en plusieurs couches. Entre chaque couche, il sera cuit dans les moufles.

L'IMPRESSION

Cette technique permet l'exécution de motifs répétitifs. Elle est utilisée à Sèvres pour les décors des marlis, appelés frises, et pour les marques diverses : chiffres, inscriptions, initiales.

Elle consiste à transférer sur la pièce en porcelaine des motifs d'une estampe imprégnée d'or ou de couleurs vitrifiables pour les fixer par une cuisson.

L'estampe est obtenue par la gravure en taille profonde d'une plaque en cuivre (il y a quelques années, on utilisait la pierre lithographique). Plusieurs ateliers collaborent à ces réalisations.

L'atelier des dessinateurs-modélistes

La première étape consiste à établir le dessin qui sera gravé ensuite en taille douce. Une des difficultés de l'opération est d'exécuter un modèle plat qui doit respecter le galbe de l'objet, donc épouser ses formes. Des raccords facilitent les liaisons et la continuité.

Préparation des dessins pour la gravure

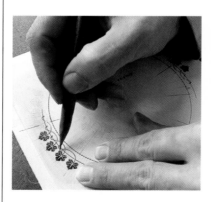

Dessin
Réalisation à l'encre de Chine d'une frise pour la saucière *Uni.*

Inscriptions peintes à l'or
Effectuées dans l'atelier des dessinateurs-modélistes.

L'atelier de gravure au burin

Le dessin est reporté à l'aide d'une gélatine enduite de soufre sur la plaque de cuivre avant d'entamer celle-ci avec différents burins.

Gravure

Gravure du décor au burin sur une planche de cuivre d'après le modèle, à l'aide d'une loupe.

Impression et pose de l'or, MNS, archives.

L'atelier d'impression

Sur cette plaque que l'on chauffe, l'or en pâte mélangé à du noir de fumée et d'huiles, est étalé avec une spatule. Auparavant, l'or a été broyé et mélangé à un fondant pour qu'il puisse se fixer sur la porcelaine lors de la cuisson.

Le papier de soie qui permet d'exécuter le transfert des motifs est posé sur la plaque et imprimé par passage sous la presse.

Découpés, immergés dans l'eau, les morceaux de l'estampe sont décalqués sur l'objet à l'aide d'une roulette. Une charge d'or supplémentaire garantit la qualité du résultat.

Encrage
La pâte contenant l'or pur est étalée (encrée) sur la planche gravée au-dessus de laquelle on pose un papier de soie. Un buvard le protège.

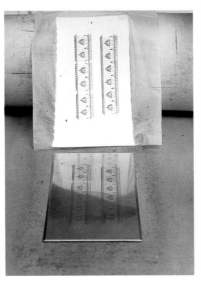

Impression
Après passage sous la presse, le papier décollé de la planche entraîne le décor.

Pose du décor de la théière Coupe
Avant décalquage, des repères sont tracés au crayon pour centrer le décor.

Le papier de soie est découpé, les morceaux immergés dans l'eau pour conserver la fraîcheur du « décor ». À l'aide d'une pince, ils sont disposés sur une plaque en plâtre, qui absorbe l'humidité, et posés sur la pièce suivant le traçage.

Recharge de l'or
Dans une cage, recharge de l'or sur le décor, à l'aide d'une brosse en blaireau souple.

Retouches au pinceau
Ces retouches sont réalisées à l'aide d'un bâtonnet en bois et d'un pinceau.

Page ci-contre :
Assiette du service des Pêches, dite de la Marine
Frise imprimée or et platine ; la scène centrale est peinte (en petit feu).

177

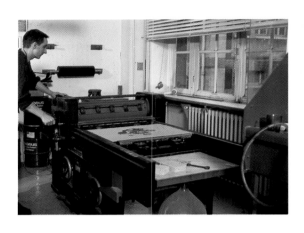

L'atelier de « lithographie »

Dans l'atelier de lithographie, sont fabriqués des transferts en pellicules plastiques, transferts monochromes ou polychromes, ainsi que des frises en or ou en autres matériaux, argent, platine.

La technique est une adaptation d'un procédé ancien aux techniques modernes de l'imprimerie. Des supports en zinc ou en aluminium remplacent la pierre lithographique d'hier.

Cette technique fait appel à trois métiers bien différents, celui du dessinateur, de l'imprimeur et du céramiste. Le dessin du décor, transcription d'un modèle, est révélé par photocomposition sur une plaque offset grâce aux rayons ultraviolets. L'on procède à un tirage sur papier qui va être enduit de vernis (au lieu de l'encre d'imprimerie habituelle), poudré au pinceau, d'or, de platine ou de couleur. Le slide, pellicule plastique, est posé sur le tirage par sérigraphie, le tout sera décalqué sur la pièce en porcelaine. Le slide, oxydé à basse température, disparaît tandis que le décor se fixe sur la céramique.

Relevé d'un décor
Cerne au crayon du décor à décalquer, suivi du relevé à main levée, d'après le modèle, avec un calque.

Fabrication du film
Le décor est photographié sur un film transparent qui servira de cache, dupliqué, mis en maquette finale et posé sur la plaque.

Le décor
Celle-ci est insolée par ultraviolets et révélée. Mouillage de la plaque à l'aide d'éponges naturelles ; l'eau n'adhère pas sur les parties dessinées.
Encrage avec un rouleau chargé de vernis qui se dépose sur les parties non humidifiées, donc sur le décor. Séchage de la plaque.
Passage du blanchet en caoutchouc sur la plaque ; celui-ci recueille le vernis et vient ensuite le déposer sur le tirage.
Poudrage final à l'aide d'un blaireau souple. La poudre accroche au vernis.

Pose d'un film plastique
Pose d'un film plastique – slide – sur toute la surface du tirage par le procédé de sérigraphie.
Immersion du slide jusqu'à ce qu'il se sépare de son support papier et entraîne le décor.
Découpe du slide à la forme et nettoyage de la pièce avant cuisson (entre 880 °C et 840 °C).

Décalque du décor
Décalque du décor en or sur le marli de *l'assiette Duplessis.*

Retouche du décor
Retouche du décor au pinceau très fin sur *l'assiette à salade Uni.*

LA CUISSON ET LES FOURS

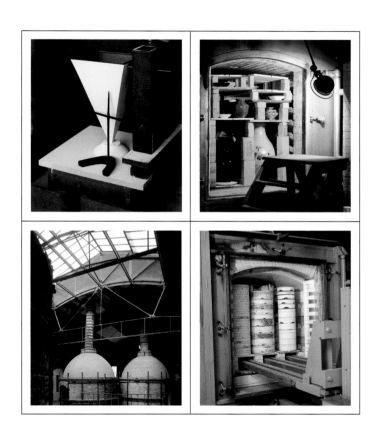

Encastage, projet pour le déjeuner *L'Art de la porcelaine*,
J.-C. Develly, 1816.

La cuisson est une étape déterminante, puisqu'elle a pour but de donner à la pâte la résistance nécessaire, de la rendre imperméable s'il s'agit d'une pâte vitrifiable, comme c'est le cas pour la porcelaine de Sèvres, et aussi d'amener la fusion des glaçures et le développement des couleurs. La chaleur provoque certaines réactions et transformations chimiques et physiques des pâtes et des couvertes. D'où l'attention apportée à l'atmosphère du four, atmosphère oxydante qui procure aux gaz de la combustion une alimentation en oxygène, ou atmosphère en réduction qui les en prive partiellement. Les mêmes soins sont apportés à l'enfournement et au défournement, aux températures fixées en fonction des compositions de la porcelaine, des enduits divers ainsi qu'au refroidissement des objets.

Aujourd'hui, l'énergie utilisée dans la majorité des fours de Sèvres est le propane. Dans ces fours, la cuisson se fait en introduisant les chariots sur lesquels les objets ont été soigneusement chargés (la « charge »).

Un objet en porcelaine peut ne subir qu'une cuisson ; c'est le cas des biscuits, à la température de 1300 °C ; par contre, une pièce décorée du bleu de Sèvres, d'une frise en or, de filets et de motifs peints, doit passer sept ou huit fois au four et parfois plus : d'abord au four de dégourdi (à une température de 940 °C, en atmosphère oxydante). Le dégourdi déshydrate l'argile et transforme la pâte en une matière non délayable à l'eau. Elle permet aussi à la pâte d'absorber rapidement l'eau de la couverte qui va être posée.

Puis la pièce passe au four de blanc, appelé ainsi car l'on y enfourne les objets émaillés, donc de couleur blanche (température de 1400 °C). Cette cuisson, en atmosphère réductrice, permet à la couverte incolore de se fixer sur la porcelaine.

Une température à peu près équivalente, 1360 °C, est nécessaire dans le four de bleu pour vitrifier les peintures, dites sur couvertes, dont le célèbre bleu de Sèvres (au préalable, une cuisson en moufle est nécessaire pour brûler les essences qui ont servi de liant). Il est alors obligatoire, pour prévenir ces fortes températures, de placer les objets dans des gazettes, boîtes en terre réfractaire, opération qui se nomme l'encastage. Ces étuis sont empilés en colonnes juxtaposées qui forment la charge. La gazetterie comprend aussi les cerces, les rondeaux, les porte-pièces, outils délicats qui ne doivent ni se déformer ni se briser, encore moins coller sur les pièces, et pour lesquels l'on prend des précautions pour qu'en aucun cas leur nature ne soit altérée : par exemple, placer des plaquettes de séparation entre rondeau et objet émaillé afin d'éviter qu'il ne reçoive de la couverte qui accompagne le retrait des pièces. Avant la cuisson d'un biscuit, l'atelier fabrique lui-même l'ensemble des supports en porcelaine, opération appelée calage, qui le soutient dans le four.

Par contre, des températures plus douces sont requises pour les décors, peintures, frises, filets, or. Chaque type de décor fait l'objet d'une cuisson par ordre décroissant de température. Il n'est pas rare qu'un décor peint soit cuit deux ou trois fois, entre 920 °C et 840 °C, dans des moufles, fours-étuis, protégeant de la poussière, inventés au XVIIIe siècle et fonctionnant de nos jours à l'électricité. Les pièces peintes craignent évidemment la poussière, et leur enfournement exige beaucoup de professionnalisme.

Le four de dégourdi

Le four de dégourdi
Les fours sont préchauffés avant enfournement. Introduction dans le four de la partie du chariot qui supporte la charge. Les pièces cuites au four de dégourdi ne nécessitent pas, à cause de la basse température de cuisson, d'être recouvertes de gazettes.

Défournement de la charge du dégourdi

Le four de blanc et le four de biscuit

Défournement du blanc

Défournement des objets émaillés
Lors du défournement du four de blanc, les pièces émaillées sont sorties une à une de leurs gazettes encore chaudes.

Défournement des biscuits
Les biscuits, après défournement, sont dégarnis des cerces. Les cales sont soigneusement enlevées.

Le four de pâte tendre et le four de bleu

Enfournement du vase de R. Peduzzi, four de pâte tendre

Enfournement du vase de R. Peduzzi, qui a été peint avec le bleu de Sèvres à l'intérieur. À cause de sa base très étroite, le vase a dû être supporté par des tiges de renfort ; ce système rappelle celui utilisé au XVIIIᵉ siècle pour cuire la porcelaine tendre. Un ancien support devant le vase.

Défournement du four de bleu

Défournement du four de bleu. Les pièces sorties des gazettes seront posées sur des chariots à étages pour être triées.

Les moufles :
Les fours de porcelaine nouvelle et du décor

Cuisson des objets décorés à l'or.

Objets en porcelaine nouvelle avant cuisson
Les vases sont décorés en couleurs de
grand feu avec des pâtes colorées et des
sous-couvertes.

Moufle de porcelaine nouvelle

Pièces portées au four, projet pour le déjeuner *L'Art de la porcelaine*, J.-C. Develly, 1816.

Les fours à bois

Dès 1985, puis à l'occasion du deux cent cinquantième anniversaire de la manufacture en 1990, ont été remis en fonction deux fours à bois, qui n'étaient plus utilisés. Ils s'élèvent sur deux étages et datent du XIXe siècle. Les métiers et matériaux du four à bois ayant disparu, la technique a été redécouverte. Le choix du bois n'est pas sans conséquence. Le bouleau convient le mieux parce qu'il brûle avec une flamme longue et claire. Le bois doit être coupé aux dimensions voulues, car sa taille fait varier la température. Les grosses bûches donnent une combustion lente, à l'inverse des petites bûchettes qui flambent fortement. Les bûchettes les plus fines sont utilisées en fin de cuisson. Chaque cuisson nécessite quinze stères de bois de bouleau.

La technique d'encastage est particulière : les pièces sont empilées les unes sur les autres à partir du fond du four. Les cerces sur lesquelles elles sont posées, sont lutées avec de la terre composée d'argile et de sable qui forme joint.

La maçonnerie du four est constituée par des briques réfractaires ; l'édifice, cylindrique, est entouré par cinq cercles en acier très épais, ayant pour but d'éviter la dislocation du four en contenant les dilatations des briques pendant l'échauffement. Le four se compose d'un laboratoire de cuisson (de 12 m³ de contenance), où l'on place les pièces à cuire, d'un globe, d'une cheminée, qui conduit les gaz chauds, et de quatre alandiers.

D'abord conçu pour fonctionner en flammes directes, le four a été transformé en four à flammes renversées (procédé breveté par l'industriel anglais Minton en 1875).

Le procédé des flammes renversées consiste à contraindre les gaz de combustion à monter vers la voûte du four, puis à les diriger vers le bas. Il présente plusieurs avantages : économie de combustible, plus grande homogénéité entre les zones froides et les emplacements chauds du four.

Avant la cuisson, la porte du four est murée avec une double rangée de briques ; l'espace entre elles sera rempli de sable.

La cuisson s'opère en deux phases : le petit feu (jusqu'à 700 °C / 900 °C) et le grand feu (jusqu'à 1 280 °C / 1 380 °C). La cuisson est conduite en flamme directe jusqu'à 150 °C ou 180 °C. À cette température, le feu est mis en flammes renversées. La cheminée, qui communique du laboratoire au globe, est fermée. Lorsque la cuve de l'alandier est pleine de braises fournies par les grosses bûches, entre 700 °C et 900 °C, on passe au grand feu. Celui-ci est obtenu par l'utilisation de bûchettes posées sur l'alandier, taillées pour que leur inflammation soit la plus rapide possible.

Un savant réglage du tirage permet d'admettre plus ou moins de gaz chauds dans les emplacements du four dont on désire moduler la température.

Deux types de cuisson sont possibles : la cuisson oxydante, avec excès d'air et la cuisson réductrice avec défaut d'air.

Devant des regards (trous percés dans la maçonnerie pour voir à l'intérieur du four dans la chambre de cuisson et fermés par des plaques en mica) sont placées des montres fusibles étalonnées, correspondant aux différentes températures, dont la pointe s'affaisse quand la température voulue est atteinte. Ce moyen de contrôle, inventé à la manufacture de Sèvres au siècle dernier, est accompagné de couples thermoélectriques, plongés dans le four et reliés à un enregistreur qui transcrit la température sous forme de diagramme. On arrête la cuisson lorsque les montres sont tombées devant les quatre regards du four et que l'enregistreur indique que la température voulue est atteinte.

Le défournement se fera, après refroidissement, deux semaines plus tard environ.

Vues d'un des fours à bois, à flammes renversées, situé dans la galerie des fours de la manufacture de Sèvres :

Porte du four
Porte du four et briques servant à la murer. Avant cuisson, la porte est murée. Trois semaines environ doivent s'écouler avant de pouvoir casser la porte.

Vue latérale du four à bois avec les alandiers

Détail de la ferronnerie
Détail de la ferronnerie qui encercle le four. Au moment de la cuisson, elle est fermée autour du four pour mieux le soutenir.

Gazetterie
Matériel de cuisson en terre réfractaire dans lequel on met les pièces pour qu'elles n'aient pas de contact direct avec la flamme.

Globe
Partie supérieure des fours à bois ou « globe », qui émerge dans la galerie haute des fours de la manufacture de Sèvres. Le globe, séparé de la partie inférieure du four par un plancher, peut être utilisé pour les cuissons de « dégourdi ».

Vue latérale
Vue latérale des fours à bois d'une hauteur de deux étages.

LES TECHNIQUES DE FINITION

L'ATELIER DE TRI ET POLISSAGE

Le polissage à l'aide d'abrasifs, tour lapidaire, bande abrasive, est employé à plusieurs fins : uniformiser l'émail avant la pose des fonds, atteindre la perfection souhaitée après le passage dans les fours (four de blanc, four de bleu) qui fixent cet émail ou une couleur de grand feu.

La nature de la porcelaine tendre exige un polissage avant l'émaillage. Sa composition oblige d'ailleurs à un façonnage et à une peinture qui lui sont propres.

Sortie du four de bleu
Tri de toutes les pièces pour mettre en évidence les défauts après cuisson.

Polissage de l'émail
Usure du *vase de Montreuil* de surface irrégulière, à l'aide d'une bande abrasive en rotation qui sert à lisser les surfaces de pièces en blanc et uniformiser l'émail, avant la pose de fonds.

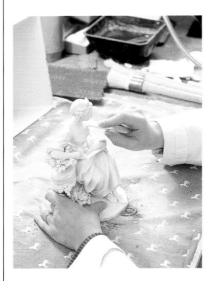

Polissage du biscuit
Pour obtenir une surface très lisse, polissage de chaque biscuit à l'aide de bâton (ou pierre) en alumine.

Polissage du vase de Montreuil
Chanfreinage du pied des *vases de Montreuil*, sortis du four de blanc, après le surfaçage au lapidaire : l'angle extérieur est cassé pour qu'à la cuisson, au four de bleu, l'émail n'accroche pas la gazette.

L'ATELIER DE MONTAGE ET CISELURE

Brunisseuse, projet pour le service des *Arts industriels*, J.-C. Develly, 1816.

près les différents passages au four des objets en porcelaine, le brunissage des décors dorés, sortis mats du four, constitue une opération de finition essentielle. Pour obtenir la brillance souhaitée, satinée, éclat plus vif, l'on se sert d'outils qui écrasent la surface sans enlèvement de métal ou presque. La forme de l'extrémité des brunissoirs, la façon de les tenir sur des motifs différents, frises, surfaces plein or, relèvent d'une expérience professionnelle séculaire.

Sablonnage   *Gratte-bossage*

Sablonnage et gratte-bossage d'une frise pour lui donner un aspect satiné ; frottée avec un chiffon imbibé de sable humidifié à l'eau, sablonnée, la frise est gratte-bossée avec un outil, composé de fibres de verre assemblées par une surliure.

Brunissage

Polissage du filet intérieur à l'hématite et dégrossissage des filets extérieurs à l'agate.

Le poste de travail

Après le dégrossissage de l'or à la pierre d'agate et après le nettoyage au blanc d'Espagne, le brunissage permet de donner à l'or de cette *frise égyptienne* un aspect brillant.

Brunissage du vase Diane
Brunissage du creux de l'élément supérieur du *vase Diane*, d'Ettore Sottsass.

Brunissage « à l'effet »
Brunissage « à l'effet » du décor d'un marli, datant de 1810. Certaines parties sont polies tandis que d'autres restent satinées.

Outils du brunissage
Hématites, finette en agate, gratte-bosse, crochue.

L'ATELIER DE MONTAGE-CISELURE

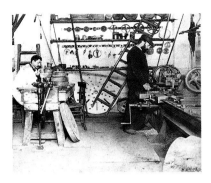

Atelier de montage, MNS, archives.

Bien des objets anciens ou contemporains de forme un peu complexe combinent des éléments qu'il est obligatoire de fabriquer en opérations successives. Il est nécessaire de les ajuster : le vase sur son socle exige, par exemple, une armature intérieure en métal. La tradition du XVIIIᵉ siècle de l'objet monté, si vivante encore, qui associe porcelaine et monture en métal précieux, se perpétue dans cet atelier : tel vase est orné d'anses en métal, tel autre surplombe un piédestal en bronze ou en pierre, ce qui pose d'évidents problèmes d'équilibre.

L'atelier se charge aussi de parachever ces éléments en métal sortis de la fonderie en pratiquant une ciselure digne des meilleurs orfèvres avec les outils ancestraux du métier.

La ciselure englobe plusieurs opérations qui vont de la suppression des imperfections dues à la fonderie jusqu'à la mise en forme des volumes ou de dessins par les techniques du repoussé. Le riche outillage du ciseleur comprend essentiellement des ciselets qui servent à la taille, des traçoirs pour raviver les contours, des mats, des marteaux, des rifloirs, des limes.

Pièces montées ou à monter
Un des deux colosses faisant partie du surtout des *Ruines d'Égypte*, de Anne et Patrick Poirier, les *vases Lucrèce* et *Laure*, d'Ettore Sottsass, bustes d'Alexandre et Louise Brongniart avant la pose de leurs socles.

Perçage

Perçage du *vase de Clermont* par le trépan pour placer les anses.

Ciselure
Ciselure de l'anse du *vase Œuf* par des mats et traçoirs qui confèrent un grain au métal.

Profil d'un socle en bronze rectifié au tour

Vase Œuf
Détails d'une anse en bronze doré du *vase Œuf.*

Allumage de la forge

Fabrication d'outils
À l'arrière-plan : limes, gradines, compas, équerre, réglet et autres outils fabriqués sur place.

TRADITION ET INVENTION TECHNIQUE À SÈVRES

Nicole Blondel

Reconnue depuis le XIXe siècle comme le conservatoire des techniques céramiques, la mémoire vivante de la manufacture est entretenue par de nombreuses sources : la réserve des moules et des modèles, qui constitue un creuset inépuisable de formes, les dessins conservés aux archives, des archives textuelles elles-mêmes.

Les techniques de Sèvres sont guidées par une mémoire qui leur est propre, mémoire écrite, incarnée par le célèbre *Traité*

La réserve des couleurs.

des Arts céramiques, rédigé par Alexandre Brongniart entre 1841 et 1844, complété en 1877 par Alphonse Salvetat, chef des travaux chimiques. Cet ouvrage nous offre un incomparable point de comparaison avec l'actualité. Dans son livre, le savant consacre de nombreuses pages à la description minutieuse des techniques et recettes pratiquées à Sèvres à son époque, parfois mises au point par lui-même, avec croquis à l'appui. Ce livre, en quelque sorte le testament technique des anciennes manufactures royales (de Vincennes et de Sèvres), s'augmente de nombreux codicilles rédigés par l'auteur sur la porcelaine dure ainsi que des inventions annexes tel le tour du lapidaire, introduit par

La manufacture, façade principale, projet pour le déjeuner *L'Art de la porcelaine*, J.-C. Develly, 1816.

Brongniart pour ôter les grains qui tombent sur les pièces lors de la cuisson. Le rédacteur qui a tiré parti des progrès de la chimie accomplis à cette époque, qu'il connaissait particulièrement bien, expose les résultats de ses recherches. Il est beaucoup question dans cet ouvrage d'imperfections, de qualités et de défauts, d'améliorations. La recherche de la perfection qui guide tous les gestes techniques à la manufacture nous renvoie au même souci qui traverse tout le livre.

Dans le *Traité*, quelques procédés datent du XVIIIe siècle (le tournage, l'estampage des biscuits, la peinture au petit feu, l'or précipité au mercure, le brunissage), tandis que d'autres appartiennent au XIXe siècle (le calibrage, le moulage à la housse, les palettes de grand feu). Aujourd'hui encore, les techniques manuelles pratiquées à la manufac-

Assiette du *service des Arts industriels*, 1823, décorée par J.-C. Develly.

ture offrent un aperçu assez fidèle, bien que simplifié, de ce qui s'est fait à Sèvres depuis deux siècles. On y associe des procédés du XVIIIe et du XIXe siècle, pâte tendre, pâte dure, pâte nouvelle (mise en service en 1882-1884), peinture de petit feu, impression or, garnissage (plus quelques procédés du XXe siècle, comme la pâte AA conçue en 1966). Certains d'entre eux ont été laissés de côté pour des raisons de goût : les matières mises en chantier au XIXe siècle, terre cuite, poterie vernissée, grès, ne sont plus fabriquées ; les Bleus de Sèvres nuagés ou marbrés si prisés vers 1980, les fonds colorés sont rares ; des métiers ont disparu, ceux liés à la cuisson au four à bois, les lithographes des années 1970. Tandis que d'autres spécialités ressurgissent : la porcelaine tendre, céramique – phare du siècle des Lumières – est à nouveau utilisée et fait l'objet d'un traitement particulier.

Ces techniques traditionnelles s'appliquent sans difficulté aux rééditions (le *Service égyptien* réédité en 1993, le *pot à eau Feuille d'eau* et sa jatte connus à partir de 1757 et bien d'autres encore), mais, plus que cela, certaines techniques oubliées sont remises à l'honneur : les pâtes colorées, les sous-glaçures qui parent un vase de Mayodon de 1947, le platine pour une commande de la société Hermès, le noir de 1780, le vert de chrome de 1804-1806.

Service égyptien, confiturier.

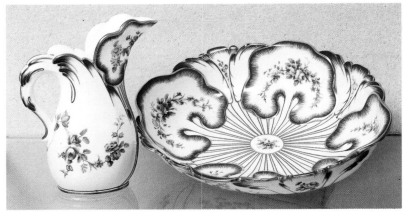

Pot à eau *Feuille d'eau* et sa cuvette. La forme du pot à eau et de sa cuvette datent de 1757. Le décor, recomposé, s'inspire de l'ornementation originale.

La création, seconde vocation de la manufacture, doit beaucoup à l'aspect technique. La relation entre le faire et le nouveau, la collaboration entre les professionnels de la porcelaine de Sèvres et les artistes contribuent au prestige de l'établissement. La fabrication du *service Semaine* de Borek Sipek, 1990, comme la réalisation, en 1994, des quatorze vases d'Ettore Sottsass sont à cet égard exemplaires.

Cette réalisation a débuté par le choix de la pâte nouvelle, la préparation de celle-ci, des couvertes et des couleurs par le laboratoire ; elle a continué par l'étude des lignes des éléments pour éviter les déformations après le tournage, s'est poursuivie par la réalisation des modèles en plâtre et de leurs moules pour le coulage à ciel ouvert des éléments qui ne peuvent pas être tournés, puis par la pose par insufflation de couvertes colorées inédites, la sélection des couleurs de petit feu, et s'est terminée par une juste répartition de l'or en filets ou en surfaces pleines complétée par différentes techniques de brunissage pour les surfaces brillantes ou celles qui ne sont que satinées. L'assemblage des éléments n'a pas demandé moins d'invention car ces œuvres offrent chacune des problèmes d'équilibre. Quant à

Vase *Cléopâtre* d'Ettore Sottsass, 1994. H. : 50 cm

Vase *Diane* d'Ettore Sottsass, 1994. H. : 31 cm

210

Vases Crucible de Charles Simonds au moment de la cuisson.

l'artiste tchèque Sipek, il désirait utiliser les techniques exception-nelles de Sèvres du découpage et du garnissage pour orner l'as-siette à gâteau, la tasse à café, celle à thé, le pot à lait, le pot à sucre, la verseuse et la coupe à fruits qui jalonnent la semaine que représente le service. Le tournage en creux, le modelage des anses, le collage de la collerette, l'ajourage, ont représenté des opérations très complexes.

D'autres artistes encore, Pascal Convert, qui a réalisé les *vases Avant-bras* en 1994, l'américain Charles Simonds, auteur de *Growth* et des *vases Crucible*, soulignent la part essentielle que la technicité a occupé dans leur démarche et comment les contraintes techniques ont influé heureusement sur la forme finale. Roberto Matta a créé, en 1990, un décor en or pour le service *Uni* s'inspirant d'une frise Premier Empire. Richard Peduzzi a créé, en 1995, le vase *Double vase*, composé de deux pyramides renversées, sur deux socles géomé-triques : forme tout à fait nouvelle pour la manu-facture.

La manufacture de Sèvres, par la multiplicité de ses productions occupe donc la place straté-gique que lui avaient conférée ses fondateurs et par la suite ses gestionnaires successifs.
Les objets sont présentés dans la salle de vente de la manufacture à Sèvres ainsi que dans un magasin à Paris.

Vases *Salomé* et *Lolita* d'Ettore Sottsass, maga-sin de vente à Paris. H. : 62 cm

Visite du roi Louis XVIII dans la salle des ventes, projet pour le déjeuner *L'Art de la porcelaine*, J.-C. Develly, 1816.

Le magasin de la manufacture.

LE SERVICE COMMERCIAL

Nicole Blondel

Bol-sein. Il faisait partie des porcelaines de la Laiterie de Rambouillet offerte par Louis XVI à Marie-Antoinette. Les formes néo-classiques des porcelaines ont été créées par Jean-Jacques Lagrenée Le Jeune et Louis-Simon Boizot en 1787-1788.

Salle de vente de la manufacture

Miroir de la Toilette, élément du service de toilette offert en 1782 par Louis XVI à la comtesse du Nord (épouse du futur Paul Ier de Russie). Entourage en biscuit créé par Louis-Simon Boizot.

Assiette Uni, Service égyptien

Magasin de la manufacture à Paris.

Pièces faisant partie du service égyptien, réédité pour la première fois depuis l'époque de Napoléon Ier. Il y en eut alors deux exemplaires, l'un offert au tsar Alexandre Ier (1808), l'autre destiné à Joséphine (1810-1812) et finalement offert par Louis XVIII au duc de Wellington en 1818.

Compotier égyptien

Sphinx criocéphale.

Double vase, de R. Peduzzi, 1995. H. : 33 cm.

Gobelet enfoncé et sa soucoupe à gaine, 1766.

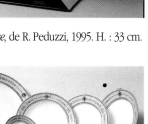

Pièces du *service Uni*. Il est décoré d'une frise imprimée, réalisée à l'atelier de lithographie, d'après un dessin datant de 1802.

Vases d'Ettore Sottsass. De gauche à droite : *Tseui, Laure, Juliette, Diane*.
Les vases *Laure* et *Lucrece* sont posés sur un socle en pierre d'Aigueville fourni par Delocre en 1881. Les vases *Lolita* et *Salomé* sont associés à des verres de Murano réalisés par Venini.

Au premier plan, la *Rieuse aux roses*, de Jean-Baptiste Carpeaux.

GLOSSAIRE

ALANDIER
Appellation du foyer d'un four céramique (à bois par exemple) qui en comporte plusieurs situés généralement à la périphérie.

BARBOTINE
Suspension aqueuse des matières premières qui composent les pâtes à porcelaine (principalement le kaolin, le feldspath et le quartz). La barbotine sert au façonnage ou au garnissage. Des substances chimiques, les *défloculants*, permettent de fluidifier la barbotine sans ajouter d'eau.

BASANE
Outil circulaire tendu d'un matériau souple (autrefois une peau, aujourd'hui du plastique) utilisé comme support de travail pendant la première opération de calibrage.

BATTAGE DE LA PÂTE
Préparation de la pâte en la battant à la main afin de l'assouplir et de lui donner une forme ovoïde et d'en chasser les bulles d'air.

BEC-DE-CORBIN
Outil en laiton servant, lors du tournage, à parfaire l'extérieur des ébauches et à régulariser leur épaisseur avant séchage.

BISCUIT
Porcelaine sans couverte. Le biscuit ne subit qu'une cuisson.
Biscuit de Sèvres : rondes-bosses, bas-reliefs, médaillons en porcelaine de Sèvres sans couverte.

BLANCHET
Cylindre en caoutchouc qui sert à imprimer le décor à l'atelier de lithographie.

BLEU DE COBALT (BLEU DE SÈVRES)
Fonds colorés en bleu par l'oxyde de cobalt, présentant des aspects différents selon la proportion de l'oxyde et les méthodes de pose.
Sur la pâte tendre et sur la pâte dure, le bleu sous couverte, puis sur couverte, est posé uni (« gros bleu ») ou irrégulièrement (« bleu lapis », aujourd'hui « bleu nuagé ») ; le « bleu nouveau » est d'une nuance tirant un peu sur le pourpre. Le « bleu pâle » est obtenu en posant deux couches (« bleu agate »). Le bleu d'intensité moyenne, à une couche peut présenter l'aspect d'un pointillé serré (« bleu granité »).

BRUNISSAGE
Techniques (notamment sablonnage, gratte-bossage) qui servent à rendre satiné après cuisson le décor en or sorti mat du four, grâce à une série d'outils en matériaux durs qui écrasent la surface sans enlèvement de l'or. Le *gratte-bosse* est composé de fibres de verre.

Le terme *brunissage* s'applique plus particulièrement à la technique finale exécutée avec des brunissoirs et qui donne un aspect brillant aux pièces.

CALIBRAGE
Façonnage des objets plats circulaires – assiettes, soucoupes, plats, au moyen d'un moule posé sur un tour qui procure le profil intérieur tandis que le calibre (aujourd'hui monté sur une machine semi automatique) donne le profil extérieur.
Les contours des CALIBRES (GABARITS) sont fabriqués et/ou affûtés sur place, aux dimensions d'un modèle, le *dessin d'exécution*. Les moules utilisés sont également calibrés.

CERCE
Cylindre en terre réfractaire, sans fond, de hauteur et diamètre variables, qui protège les pièces en porcelaine lors des cuissons à haute température.

CHIQUETAGE
Technique qui consiste, lors du façonnage, à strier ou hachurer la surface avec une lame en acier pour obtenir une meilleure adhésion lors du collage à la barbotine.

COFFRAGE
Ensemble des cloisons étanches en terre, plâtre, bois ou métal qui reçoit la coulée du plâtre.

COULAGE
Façonnage qui consiste à couler la barbotine dans un moule en plâtre ; celui-ci absorbe l'excédent d'eau, ce qui permet à une pellicule de pâte de se former sur les parois.
Le grand coulage, à l'air comprimé, sert à fabriquer généralement des formes de révolution, comme des vases, parfois de grandes dimensions.
Le petit coulage sert à fabriquer des formes en porcelaine non circulaires, à reliefs.

COUVERTE
Émail transparent incolore ou coloré adapté à chaque pâte de porcelaine.
Les couvertes colorées, composées de couverte incolore additionnée de colorants sont posées soit sur la pièce dégourdie, soit sous ou sur la couverte incolore : sous-couvertes, sur-couvertes. Ce sont des *couleurs de grand feu*, car elles cuisent à une température proche de celle de la pâte, au-dessus de 1 000 °C.

DÉGOURDI

Cuisson préliminaire des pièces en porcelaine façonnées en cru, à basse température, 940 °C (au four dit de dégourdi) qui leur donne la dureté et la porosité permettant l'émaillage par trempage.

DÉVISSAGE

Phénomène de torsion qui se produit au cours du séchage des pièces tournées.

ÉBAUCHAGE

Première étape du tournage. Le tournage comprend un ensemble de techniques successives dont les résultats doivent être conformes aux indications du dessin d'exécution.

ÉBAUCHE CREUSE (ÉBAUCHAGE D'UNE...)

Ébauche intérieure et extérieure.

ÉBAUCHE PLEINE (ÉBAUCHAGE D'UNE...)

Ébauche extérieure d'une forme évasée. L'intérieur sera évidé au tournassage.

ENCASTAGE

Procédé d'enfournement dans lequel les pièces à cuire sont placées dans des gazettes pour les protéger pendant la cuisson.

ENGOBE

Argile liquide colorée ou glaçure colorée appliquée sur un tesson céramique pour en dissimuler la couleur ou pour obtenir des contrastes de teintes en pratiquant des incisions qui laissent apparaître la couleur de la sous-couche.

ESTAMPAGE

Moulage en relief ou en creux obtenu en pressant de la pâte plastique sur une forme ou dans un moule.

ESTÈQUE

Calibre plat en bois ou en ardoise d'environ 8 mm d'épaisseur, dont la découpe correspond au profil intérieur de l'objet indiqué sur le *dessin d'exécution pâte sèche*, agrandi de 10 % environ pour correspondre au retrait de l'ébauche au séchage.

ÉTONNER LA MATIÈRE

Plonger la fritte en fusion dans une quantité déterminée d'eau froide pour en faciliter le broyage.

FILAGE

Peinture des filets sur une tournette en rotation à l'aide du pinceau à sifflet.

FLAMMÉS

Effets nuancés semblables à des flammes dans une couverte monochrome, provoqués par une cuisson au grand feu.

FONDANT

Verre réduit en poudre obtenu par un mélange de matières premières et qui facilite la fusion d'un autre corps.

FRITTE

Verre obtenu par différents matériaux fondus, cuisant à une température inférieure à celle de la composition, dans laquelle il sera ensuite introduit sous forme de poudre. La fritte entre dans la composition de certaines couvertes ou sur-couvertes (par exemple le bleu de Sèvres) ou de la pâte tendre.

GARNISSAGE

Application des éléments complémentaires dits garnitures (comme les anses) au corps de l'objet par collage à la barbotine.

GAZETTE

Étui réfractaire qui protège les pièces en porcelaine lors des cuissons à haute température.
La *gazetterie* désigne l'ensemble du matériel en pâte réfractaire servant à l'encastage, dont les cerces et les porte-pièces.

GRÈS

Matériau céramique, cuit à haute température, imperméable, légèrement vitrifié. La pâte des grès naturels est grise; celles des grès artificiels, grès cérames peuvent être teintées par des oxydes métalliques.

GRÈS CHAMOTTÉ

Grès dans lequel on introduit des argiles plus grossières pour le rendre plus facile à travailler.

GROSSE PORCELAINE

Nom donné à une variante de pâte dure mise au point à Sèvres par Théodore Deck (1887-1891) et calculée de façon à être plus facile à travailler directement, même par un non-céramiste.

KAOLIN

Argile primaire cuisant blanc, indispensable à la composition des pâtes de porcelaine. Le kaolin entre à 70 % dans la composition de la pâte dure, 50 % dans celle de la pâte blanche, 15 % dans celle de la pâte dure nouvelle, 10 % environ dans celle de la pâte tendre. Il est mélangé, notamment au feldspath et au quartz, pour préparer ces pâtes.

LAPIDAIRE

Plateau diamanté mis en rotation qui permet de dresser ou de régulariser une surface lors du polissage.

MAILLOCHE

Marteau en bois, plombé, recouvert de cuir. Au calibrage, il sert à imprimer la pâte par estampage et à modeler les reliefs en creux.

MAÎTRE-À-DANSER

Double compas cintré qui sert à vérifier l'épaisseur d'une pièce tournassée.

MAJOLIQUE

Appellation des faïences exécutées en Italie au XVIᵉ siècle ; elle aurait pour origine le port de Majorque.

MANDRIN
Formes tournées, en porcelaine ou en plâtre, servant de supports pour différentes opérations, tournage, tournassage, calibrage, émaillage.

MARLI
Surface supérieure de l'aile de l'assiette, de la soucoupe, du plat, généralement ornée.

MÂT
Ciselet en acier rigide.

MODÈLE DE SCULPTURE
Sculpture originale qui sert à réaliser le moule à pièces ; dans ce cas, il est découpé en morceaux ; ce modèle *coupé* peut être *monté*, c'est-à-dire reconstitué pour servir de référence.

MOUFLE
Four pour les cuissons à basse température des décors de petit feu, des décors en métaux précieux et utilisé pour le brûlage des essences.
Par extension, on appelle ainsi les fours électriques employés à la place des anciens fours à moufles.

OR À LA COUPEROSE
Chlorure d'or obtenu par précipitation au sulfate de fer. Il se distingue de l'*or au mercure*, chlorure d'or précipité au nitrate de mercure.

OREILLES D'ÉLÉPHANT
Éponges naturelles utilisées, notamment, lors du façonnage de la pâte plastique.

PASTILLAGE
Modelage en cru humide, réalisé à main levée, de petits éléments ornant une sculpture.

PÂTE DURE (PORCELAINE DURE)
Porcelaine essentiellement formée de kaolin, feldspath et quartz et éventuellement de craie. Elle est cuite en atmosphère réductrice à 1 400 °C.

PN OU PÂTE DURE NOUVELLE
Pâte à porcelaine essentiellement composée de kaolin, feldspath et quartz, mise au point entre 1882 et 1884. La PN cuit à 1 280 °C /1 300 °C. Les biscuits sont façonnés en PN. La pâte Salvetat la préfigure.

PÂTE SALVETAT
Composition mise au point par le chimiste Alphonse-Louis Salvetat, plus proche des porcelaines chinoises que la pâte dure traditionnelle.

PÂTE TENDRE
Appellation du matériau céramique, translucide, issu de différentes compositions mises au point en Europe avant la découverte du kaolin, produit de base de la porcelaine dure. Ce matériau céramique est ainsi appelé car la couverte peut se rayer et que le tesson est moins résistant aux brusques changements de température.

PÂTE COLORÉE
Pâte à laquelle on ajoute des pigments colorés.

PÂTE-SUR-PÂTE
Procédé de décor en léger relief, mis au point à partir de 1849, consistant à travailler sur la pâte crue avec de la pâte colorée ou blanche, dont on joue alors de la transparence.

PICHOURET
Manche en bois servant d'appui lors du façonnage.

PIGE
Outil servant à mesurer une profondeur ou une épaisseur lors du façonnage.

PLANE DE CHARRON
Outil composé d'une lame concave munie de poignées servant à travailler une forme en plâtre.

PONCETTE
Outil composé d'un chiffon roulé, serré, que l'on imbibe de poudre de fusain pour appliquer les motifs du poncif sur la porcelaine.

PONCIF
Outil en matériau souple, comme du papier généralement lissé à la pierre ponce (d'où ce terme), troué suivant les motifs d'un décor et servant à son report et à sa mise en place sur l'objet.

PORTE-PIÈCES
Gazettes destinées à la cuisson des assiettes.

PUTOISAGE
Technique qui permet d'appliquer les fonds colorés par tapotement d'une brosse en poil de putois ou de blaireau enduite de peinture.

REPARAGE
Technique de retouche ou de modelage en cru humide pour supprimer les coutures et pour souligner et affiner les détails de la sculpture en biscuit après démoulage.

RÉTICULÉ
Motif ajouré en réseau. La *porcelaine réticulée* est formée de deux parois dont l'externe est réticulée.

RETRAIT
Diminution du volume d'une pièce en porcelaine, au séchage puis à la cuisson. Le retrait peut correspondre à une diminution de 12 % et 16 %

RÉVOLUTION (FORME DE)
Pièce dont la section, dans le sens de la largeur, est circulaire.

RIFLOIR
Outil de ciselure en acier, en forme de lime à extrémités arrondies munies d'aspérités, servant à nettoyer les creux. Se dit aussi d'un outil en acier servant à la retouche des pièces en porcelaine.

RONDEAU
Support en forme de plaque circulaire. Le rondeau en plâtre est utilisé pour façonner l'ébauche. En réfractaire, il sert de support de cuisson, et fait partie de la gazetterie.

RONDE DE MOULES
Ensemble de moules à pièces d'une sculpture. Une ronde de moules peut être composée de plus de cent moules.

SOUS-PIÈCE
Partie du moule à pièces.

SURFAÇAGE
Technique qui permet, à l'aide du lapidaire, de dresser ou de régulariser des surfaces.

TESSON
Désigne le corps d'une pièce en céramique crue ou cuite par opposition à l'émail. Ce terme est utilisé aussi pour nommer les débris de céramique cuite introduits dans un composé plastique pour servir de dégraissant.

TOURNAGE
Façonnage d'une forme de révolution sur un tour en rotation. Le DRESSAGE est un pétrissage de la pâte pour orienter les particules.

TOURNASSAGE
Ensemble des techniques, opérées à sec à l'aide d'outils divers, qui servent à obtenir sur le tour en rotation, le profil définitif de la pièce, indiqué par le dessin d'exécution.

TRAÎNAGE
Façonnage des modèles en plâtre à forme de non révolution consistant à obtenir cette forme en passant un calibre sur le plâtre en état de prise.

VERMICULÉ
Type de décor en or formé de zones à contours irréguliers semées et cernées de points d'or, couvrant un fond coloré.

Les termes en italique sont spécifiques à la manufacture de Sèvres.

BIBLIOGRAPHIE

BRONGNIART Alexandre, *Traité des arts céramiques ou des poteries considérées dans leur histoire, leur pratique et leur théorie...*, Paris, 1844, 2 vol. et un Atlas.

CHAVAGNAC Comte Xavier de et GROLLIER Marquis de, *Histoire des manufactures françaises de porcelaine...*, Paris, 1906.

LECHEVALLIER-CHEVIGNARD Georges, *La manufacture de porcelaine de Sèvres. Histoire, organisation*, Paris, 1908, 2 vol.

BOURGEOIS Émile, *Le Biscuit de Sèvres au XVIIIᵉ siècle*, Paris, 1909, 2 vol.

VERLET Pierre, GRANDJEAN Serge et BRUNET Marcelle, *Sèvres*, Paris, 1954, 2 vol.

BRUNET Marcelle et PRÉAUD Tamara, *Sèvres des origines à nos jours*, Fribourg, 1978.

MONTAIGU Barbara Tassin de (Dir.), *La Porcelaine de Sèvres*, Paris, 1982.

ERIKSEN Svend et BELLAIGUE Geoffrey de, *Sèvres Porcelain. Vincennes and Sèvres 1740-1800...*, Londres, 1987.

Conservation régionale des Monuments historiques de l'Île-de-France, dossier de protection établi par David Peycere, Paris, 1991.

PRÉAUD Tamara et ALBIS Antoine d', *La Porcelaine de Vincennes*, Paris, 1991.

MIDANT Jean-Paul, *Sèvres. La manufacture au XXᵉ siècle*, Paris, 1992.

BLONDEL Nicole, *Documentation préliminaire au vocabulaire de la céramique. Prescriptions scientifiques de l'Inventaire général*.

Sommaire

Histoire de la manufacture 9
Tamara Préaud

Les premières années 12
La fondation.......................................12
La société Charles Adam 13

L'élaboration d'un style nouveau..........15
La société Éloy Brichard 15
L'invention du biscuit........................16
L'installation à Sèvres........................17

1759-1780.......................................20
Les turbulences administratives 20
La découverte de la pâte dure...........21
La production 24

De 1780 à la révolution 28
Difficultés économiques 28
Le style néoclassique 30

La période révolutionnaire 34
Les temps difficiles 34
La production 35

La direction d'Alexandre Brongniart 37
La situation administrative 37

La production sous l'Empire.............................38
Louis XVIII et Charles X 42
Louis-Philippe 45

La Deuxième République 50

Le Second Empire 52
Un contexte transformé 52
La production 54

1870-1890.......................................58
Le rôle de la commission de perfectionnement............................58
La pâte nouvelle..................................59
L'œuvre d'Albert Carrier-Belleuse....................60
La direction de Théodore Deck 61

L'Art nouveau......................................63
La réorganisation administrative 63
Le rôle d'Alexandre Sandier 64

L'entre-deux-guerres.................................68

1945-1976.......................................73

LA MANUFACTURE DE SÈVRES 79
Nicole Blondel
LA PRODUCTION ET LES TECHNIQUES
DE LA MANUFACTURE DE SÈVRES....................81

LES BÂTIMENTS DE LA MANUFACTURE
DE SÈVRES 91
LE PERSONNEL 95

LES ATELIERS DE LA MANUFACTURE
DE SÈVRES..97
Nicole Blondel
LES OPÉRATIONS PRÉLIMINAIRES......................99
Le laboratoire..100
L'atelier des dessins d'épures
et photographies 104
Le plâtre à Sèvres 106
L'atelier de sculpture-modelage de formes................108
L'atelier de sculpture-modelage de figures................112
L'atelier de moulage-tournage en plâtre 114
Le moulin 118

LES TECHNIQUES DE MISE EN ŒUVRE 123
Le grand atelier..124
Le battage de la pâte 126
Le tournage 127
Le calibrage 134
Le découpage-garnissage................................136
L'atelier de petit coulage 140
L'atelier de grand coulage 144
L'atelier de moulage-reparage 148
L'atelier d'émaillage par trempage 152

LES TECHNIQUES DE DÉCOR 157
La peinture 158
L'atelier d'émaillage par insufflation 160

L'atelier de pose de fonds................................162
L'atelier de peinture de petit feu 164
L'atelier de filage et dorure 168
L'impression 171
L'atelier des dessinateurs-modélistes..........................172
L'atelier de gravure au burin 173
L'atelier d'impression 174
L'atelier de lithographie..................................178

LA CUISSON ET LES FOURS 181
Le four de dégourdi 184
Le four de blanc et le four de biscuit 185
Le four de pâte tendre et le four de bleu 186
Les moufles : les fours de porcelaine nouvelle et
du décor 187
Les fours à bois..188

LES TECHNIQUES DE FINITION 193
L'atelier de tri et polissage..............................194
L'atelier de brunissage....................................198
L'atelier de montage et ciselure....................202

TRADITION ET INVENTION
TECHNIQUE À SÈVRES 207
Nicole Blondel

LE SERVICE COMMERCIAL....................213
Nicole Blondel

GLOSSAIRE 216
Nicole Blondel

Crédits photographiques :
Réunion des musées nationaux, Paris : pages 13, 14, 17, 19, 24, 25, 33, 39, 41, 43, 45, 55, 66, 77 ; / Beck-Coppola : pages 22, 44, 56, 59 ; / Coppola : pages 28, 31, 60 ; / M. Jean : page 40 ; / Guy Vivien : page 47 — musée Carnavalet, Paris : page 36 — The British Museum, Londres : page 30 — Wallace Collection, Londres : pages 27, 32 Boston, Museum of Fine Arts : page 209 — L. Sully-Jaulmes, Paris : pages 15, 42 — Flohic Editions / François Doury : pages 26, 35, 62, 65, 68, 70, 73, 74, 75, 76 ; — L'Estampille / L'Objet d'art / Vincent Germond : page 51 — manufacture nationale de Sèvres, archives, clichés Goupil, 1899 : pages 53, 101, 107, 118, 145, 155, 159, 160, 174, 203.

ISBN N° 2-908958-89-9
Dépôt légal janvier 1996
Photogravure : GCS
Impression : Campin